Contre-feux 2

Pour un mouvement social européen

PIERRE BOURDIEU

Contre-feux 2

Pour un mouvement social européen

RAISONS D'AGIR ÉDITIONS

Éditions RAISONS D'AGIR
27, rue Jacob, 75006 Paris
© *ÉDITIONS RAISONS D'AGIR,* janvier 2001

PRÉFACE

J'ai regroupé ici, dans l'ordre chrono-
logique, en vue de contribuer au mouvement social
européen en voie de constitution, quelques interventions publiques, souvent inédites (au moins en français)
que j'ai parfois abrégées pour éviter les répétitions, tout
en tentant de garder les traces circonstancielles liées aux
attentes d'un moment et d'un lieu particuliers. Pour des
raisons qui tiennent sans doute à moi, et surtout à l'état
du monde, j'en suis venu à penser que ceux qui ont
la chance de pouvoir consacrer leur vie à l'étude du
monde social, ne peuvent rester, neutres et indifférents,
à l'écart des luttes dont l'avenir de ce monde est l'enjeu.
Ces luttes sont, pour une part essentielle, des luttes
théoriques, dans lesquelles les dominants peuvent
compter sur des milliers de complicités, spontanées ou
appointées – comme celles des dizaines de milliers de
professionnels du *lobbying* qui, à Bruxelles, hantent les
couloirs de la Commission, du Conseil et du Parlement. La vulgate néo-libérale, orthodoxie économico-
politique si universellement imposée et si unanimement
admise qu'elle paraît hors des prises de la discussion et
de la contestation, n'est pas issue d'une génération
spontanée. Elle est le produit du travail prolongé et
constant d'une immense force de travail intellectuel,
concentrée et organisée dans de véritables entreprises de

production, de diffusion et d'intervention[1] : par
exemple, la seule Association des chambres américaines
de commerce – AMCHAM – a publié, dans la seule année
98, dix ouvrages et plus de soixante rapports et pris part
à environ 350 réunions avec la Commission européenne et le Parlement[2]. Et la liste des organismes de
cette sorte, agences de relations publiques, *lobbies* de
l'industrie ou de compagnies indépendantes, etc.,
emplirait plusieurs pages. Contre ces pouvoirs fondés
sur la concentration et la mobilisation du capital culturel, seule peut être efficace une force de contestation
reposant sur une mobilisation semblable, mais orientée
vers de tout autres fins.

Il faut renouer aujourd'hui avec la tradition qui s'est
affirmée au XIXe siècle dans le champ scientifique et qui,
refusant de laisser le monde aux forces aveugles de l'économie, voulait étendre à l'ensemble du monde social les
valeurs d'un monde scientifique sans doute idéalisé[3].
J'ai aussi conscience qu'en appelant, comme je le fais
ici, les chercheurs à se mobiliser pour défendre leur
autonomie et pour imposer les valeurs attachées à leur
métier, je m'expose à choquer ceux d'entre eux qui,

---

1 – Sur la genèse du thatchérisme, voir Keith Dixon,
Les Évangélistes du marché, Paris, Raisons d'agir Éditions, 1998.
2 – Sur ce point, voir Belén Balanya, Ann Doherty, Olivier
Hoedeman, Adam Ma'anit, Erik Wesselins, *Europe Inc. Liaisons
dangereuses entre institutions et milieux d'affaires européens*,
Préface de Susan George, Marseille, Agone Éditeur, 2000.
3 – Notamment chez des penseurs aussi différents que Ritt Tawney,
Émile Durkheim et Charles S. Peirce (cf. Thomas L. Haskell,
« Professionalism Versus Capitalism : R.H. Tawney, E. Durkheim,
and C.S. Pierce on the Disinterestedness of Professional
Communities », in Thomas L. Haskell (éd.), *The Authority of Experts :
Studies in History and Theory*, Bloomington, Indiana University Press,
1984).

choisissant les facilités vertueuses de l'enfermement dans leur tour d'ivoire, voient dans l'intervention hors de la sphère académique un dangereux manquement à la fameuse « neutralité axiologique », identifiée à tort à l'objectivité scientifique, et à être mal compris, voire condamné sans examen, au nom de la vertu académique même que j'entends défendre contre elle-même. Mais je suis convaincu qu'il faut coûte que coûte faire entrer dans le débat public, d'où elles sont tragiquement absentes, les conquêtes de la science – et rappeler au passage à la prudence les essayistes bavards et incompétents qui occupent à longueur de temps les journaux, les radios et les télévisions –; libérant ainsi l'énergie critique qui reste enfermée dans les murs de la cité savante, pour partie par une vertu scientifique mal comprise, qui interdit à l'*homo academicus* de se mêler aux débats plébéiens du monde journalistique et politique, pour partie par l'effet des habitudes de pensée et d'écriture qui font que les spécialistes trouvent plus facile et aussi plus payant, du point de vue des profits proprement académiques, de réserver les produits de leur travail pour des publications scientifiques qui ne sont lues que de leurs pareils. Beaucoup d'économistes qui disent en privé leur mépris de l'usage que les journalistes ou les présidents de banques centrales font de leurs théories s'indigneraient sans doute si on leur rappelait que leur silence est responsable, et pour une part qui est loin d'être négligeable, de la contribution que la science économique apporte à la justification de politiques scientifiquement injustifiables et politiquement inacceptables.

Faire sortir les savoirs hors de la cité savante, ou, plus difficile, faire intervenir les chercheurs dans l'univers politique, mais pour quelle action, quelle politique ? Revenir à tel ou tel des modèles éprouvés de « l'engagement » des intellectuels, celui de l'intellectuel pétitionnaire et solidaire, simple caution symbolique plus ou moins cyniquement exploitée par les partis, ou celui de l'intellectuel pédagogue ou expert, faisant partager ses connaissances ou fournissant à la commande un savoir sur mesure ? Ou inventer une nouvelle relation entre les chercheurs et les mouvements sociaux, qui pourrait se fonder sur le refus de la séparation, mais sans concession à l'idée d'une « fusion », et sur le refus de l'instrumentalisation, mais sans concession aux rêveries anti-institutionnelles ? Et concevoir une nouvelle forme d'*organisation* capable de réunir chercheurs et militants dans un travail collectif de critique et de proposition, conduisant à de nouvelles formes de mobilisation et d'action ?

Mais quelle forme donner à cette action politique et à quelle échelle, nationale, européenne, mondiale, la mener ? Les cibles traditionnelles des luttes et des revendications ne sont-elles pas devenues des leurres bien faits pour détourner des lieux où s'exerce le gouvernement invisible des puissants ? Les États ont été, paradoxalement, à l'origine des mesures économiques (de dérégulation) qui ont conduit à leur dépossession économique, et, contrairement à ce que disent aussi bien les partisans que les critiques de la politique de « mondialisation », ils continuent à jouer un rôle en donnant leur caution à la politique qui les dépossède. Ils remplissent une fonction d'*écrans* qui empêchent les citoyens, voire les dirigeants eux-mêmes, d'apercevoir leur dépossession et de découvrir les lieux et les enjeux d'une vraie politique. Des fonctions d'écrans dissimulant les pouvoir qu'ils relaient[4] ou, plus exactement, de *masques* qui, en attirant et en attachant l'attention sur des figurants, des hommes de paille, des prête-noms – ces noms propres qui s'affrontent à la une des quotidiens politiques nationaux, et dans les joutes électorales – détournent de leur vraie cible les revendications, les indignations et les protestations.

La politique n'a pas cessé de s'éloigner des citoyens. Mais on est fondé à penser que certains des objectifs d'une action politique efficace se situent au niveau européen, dans la mesure où les entreprises et les organisations européennes gardent un poids déterminant dans l'orientation du monde. Et l'on peut se donner pour fin de rendre l'Europe à la politique ou la politique à l'Europe en luttant pour la transformation démocratique des institutions profondément anti-démocratiques dont elle est dotée : une Banque Centrale affranchie de tout contrôle démocratique, un ensemble de comités de fonctionnaires non-élus qui travaillent dans le secret et qui tranchent de tout sous la pression des lobbies internationaux et en dehors de tout contrôle démocratique et bureaucratique, une Commission qui, concentrant d'immenses pouvoirs, n'a de comptes à rendre ni devant un faux exécutif, le Conseil des ministres européens, ni devant un faux législatif, le Parlement, instance elle-même à peu près totalement désarmée devant les groupes de pression et dépourvue de la légitimité que seule pourrait lui donner une élection au suffrage universel par

---

4 – C'est bien ce que fait le gouvernement français lorsqu'il s'octroie le droit d'exécuter par ordonnances, en dehors de tout contrôle parlementaire, des directives européennes qui sont elles-mêmes la retraduction à peine déguisée de directives de l'Organisation mondiale du commerce (cf. Aline Pailler, « La maladie des ordonnances », *Le Monde*, 4 novembre 2000).

l'ensemble de la population européenne. On ne peut attendre une vraie transformation de ces institutions de plus en plus soumises aux directives d'organismes internationaux visant à libérer le monde de tous les obstacles à l'exercice d'un pouvoir économique de plus en plus concentré que d'un vaste mouvement social européen, capable d'élaborer et d'imposer une vision à la fois ouverte et cohérente d'une Europe politique riche de toutes ses conquêtes culturelles et sociales du passé et forte d'un projet généreux et lucide de rénovation sociale, délibérément ouvert sur tout l'univers.

La tâche la plus urgente me paraît être de trouver les moyens matériels, économiques, et surtout *organisationnels*, d'inciter tous les chercheurs compétents à unir leurs efforts à ceux des responsables militants pour discuter et élaborer collectivement un ensemble d'analyses et de propositions de progrès qui, aujourd'hui, n'existent qu'à l'état virtuel de pensées privées et isolées ou dans des publications marginales, des rapports confidentiels ou des revues ésotériques. Il est clair en effet que jamais aucune recollection de documentaliste, si minutieuse et exhaustive soit-elle, aucune discussion au sein des partis, des associations ou des syndicats, aucune synthèse de théoricien, ne pourra tenir lieu du produit de la confrontation entre tous les chercheurs tournés vers l'action et tous les militants d'expérience et de réflexion de tous les pays européens. Seule l'assemblée idéale de tous ceux, chercheurs ou militants, qui ont quelque chose à apporter à l'entreprise commune, pourra construire le formidable édifice collectif digne, pour une fois, du concept galvaudé de projet de société.

Paris, novembre 2000

Pour un mouvement
social européen*

Il n'est pas facile, quand on parle d'Europe, d'être tout simplement entendu. Le champ journalistique, qui filtre, intercepte et interprète tous les propos publics selon sa logique la plus typique, celle du « tout ou rien », tente d'imposer à tous le choix débile qui s'impose à ceux qui restent enfermés dans sa logique : être « pour » l'Europe, c'est-à-dire progressiste, ouvert, moderne, libéral, ou ne pas l'être, et se condamner ainsi à l'archaïsme, au passéisme, au poujadisme, au lepenisme, voire à l'antisémitisme... Comme s'il n'y avait pas d'autre option légitime que l'adhésion inconditionnelle à l'Europe *telle qu'elle est*, c'est-à-dire réduite à une banque et une monnaie unique et soumise à l'empire de la concurrence sans limites... Mais ce serait une erreur de croire que l'on échappe vraiment à cette alternative grossière dès que l'on parle d'« Europe sociale ». Les discours sur l'« Europe sociale » n'ont eu jusqu'ici qu'une traduction insignifiante dans les normes concrètes qui régissent la vie quotidienne des citoyens : travail, santé, logement, retraite, etc. Alors que les directives en matière de concurrence bouleversent chaque jour l'offre de biens et services et défont à grande vitesse les services publics nationaux, – sans même parler de la politique que la Banque centrale européenne peut mener hors de tout débat démocratique. On peut élaborer une charte « sociale » et dans le même temps conjuguer austérité

* *Le Monde diplomatique*, juin 1999, p. 1, 16-17.

salariale, réduction des droits sociaux, répression des mouvements de contestation, etc. *La construction européenne est pour l'instant une destruction sociale.* Ceux qui, comme les socialistes français, ont recours à ces leurres rhétoriques ne font que porter à un degré d'ambiguïté supérieur les stratégies d'ambiguïsation politique du « social libéralisme » à l'anglaise, ce thatcherisme à peine ravalé qui ne compte, pour se vendre, que sur l'utilisation opportuniste de la symbolique, médiatiquement recyclée, du socialisme[5]. C'est ainsi que les socio-démocrates qui sont actuellement au pouvoir en Europe peuvent collaborer, au nom de la stabilité monétaire et de la rigueur budgétaire, à la liquidation des acquis les plus admirables des luttes sociales des deux derniers siècles, universalisme, égalitarisme (par des distinguos jésuitiques entre égalité et équité), internationalisme, et à la destruction de l'essence même de l'idée ou de l'idéal socialiste, c'est-à-dire, grosso modo, l'ambition de protéger ou de reconstruire par une action collective et organisée les *solidarités* menacées par le jeu des forces économiques.

N'est-il pas tristement significatif que, au moment même où leur accès à peu près simultané à la direction de plusieurs pays européens ouvre aux socio-démocrates une chance réelle de concevoir et de conduire en commun une véritable politique sociale, l'idée ne leur vienne même pas d'explorer les possibilités d'action proprement politiques qui leur sont ainsi offertes en matière fiscale, mais aussi en matière d'emploi, d'échanges économiques, de droit du travail, de formation ou de logement

---

5 – Keith Dixon, *Un digne héritier*, Paris, Raisons d'agir Éditions, 2000.

social ? N'est-il pas étonnant, et révélateur, qu'ils
n'essaient même pas de se donner les moyens de contrecarrer efficacement le processus, déjà fortement avancé,
de destruction des acquis sociaux du *Welfare*, en instaurant par exemple, au sein de la zone européenne, des
normes sociales communes en matière, notamment, de
salaire minimum (rationnellement modulé), de temps de
travail ou de formation professionnelle des jeunes ?
N'est-il pas choquant qu'ils s'empressent au contraire de
se réunir pour favoriser le fonctionnement des « marchés
financiers » plutôt que pour le contrôler par des mesures
telles que l'instauration (autrefois inscrite dans leurs programmes électoraux) d'une fiscalité internationale du
capital (portant en particulier sur les mouvements
spéculatifs à très court terme) ou la reconstruction d'un
système monétaire capable de garantir la stabilité des
rapports entre les économies ? Et n'est-il pas surprenant
que le pouvoir de censurer les politiques sociales qui est
accordé, en dehors de tout contrôle démocratique, aux
« gardiens de l'euro » (tacitement identifié à l'Europe)
interdise de financer un grand programme public de
développement économique et social fondé sur l'instauration volontariste d'un ensemble cohérent de « lois de
programmation » européennes, notamment dans les
domaines de l'éducation, de la santé et de la sécurité
sociale – ce qui conduirait à la création d'institutions
transnationales vouées à se substituer progressivement,
au moins en partie, aux administrations nationales ou
régionales que la logique d'une unification seulement
monétaire et marchande condamne à entrer dans une
concurrence perverse ?

  Étant donné la part largement prépondérante des
échanges intra-européens dans l'ensemble des échanges

économiques des différents pays de l'Europe, les gouvernements de ces pays pourraient mettre en œuvre une politique commune visant au moins à limiter les effets de la concurrence intra-européenne et à opposer une résistance collective à la concurrence des nations non-européennes et, en particulier, aux injonctions américaines, peu conformes le plus souvent aux règles de la concurrence pure et parfaite qu'elles sont censées protéger. Cela au lieu d'invoquer le spectre de la « mondialisation » pour faire passer, au nom de la compétition internationale, le programme régressif en matière sociale que le patronat n'a cessé de promouvoir, dans les discours comme dans les pratiques, depuis le milieu des années 70 : réduction de l'intervention publique, mobilité et flexibilité des travailleurs – avec la démultiplication et la précarisation des statuts, la révision des droits syndicaux et l'assouplissement des conditions de licenciement –, aide publique à l'investissement privé à travers une politique d'aide fiscale, réduction des charges patronales, etc. Bref, en ne faisant à peu près rien en faveur de la politique qu'ils professent, alors même que toutes les conditions sont réunies pour qu'ils puissent la réaliser, ces gouvernements trahissent clairement qu'ils ne veulent pas vraiment cette politique.

L'histoire sociale enseigne qu'il n'y a pas de politique sociale sans un mouvement social capable de l'imposer et que ce n'est pas le marché, comme on tente de le faire croire aujourd'hui, mais le mouvement social, qui a « civilisé » l'économie de marché, tout en contribuant grandement à son efficacité. En conséquence, la question, pour tous ceux qui veulent réellement opposer une Europe sociale à une Europe des banques et de la

monnaie, flanquée d'une Europe policière et péniten-
tiaire (déjà très avancée) et d'une Europe militaire
(conséquence probable de l'intervention au Kosovo), est
de savoir comment mobiliser les forces capables de par-
venir à cette fin et à quelles instances demander ce travail de mobilisation. On pense évidemment à la Confédération européenne des syndicats. Mais personne ne
contredira les spécialistes qui, comme Corinne Gobin,
montrent que cette instance se comporte avant tout en
« partenaire » soucieux de participer dans la bienséance
et la dignité à la gestion des affaires européennes en
menant une action de *lobbying* bien tempéré, conforme
aux normes du « dialogue », cher à Jacques Delors… Et
on ne saurait nier qu'elle n'a guère travaillé à se donner
les moyens de contrecarrer efficacement les volontés du
patronat (organisé, lui, en Union des confédérations de
l'industrie et des employeurs européens – UNICE –, et
doté d'un groupe de pression puissant, capable de dicter
ses volontés à Bruxelles), et de lui imposer, avec
les armes ordinaires de la lutte sociale, grèves, manifestations, etc., de véritables conventions collectives à
l'échelle européenne.

Ne pouvant donc attendre, au moins à court terme,
de la Confédération européenne des syndicats, qu'elle
se rallie à un syndicalisme résolument militant, force est
de se tourner d'abord, et provisoirement, vers les syndicats nationaux. Sans toutefois ignorer les obstacles
immenses à la véritable *conversion* qu'il leur faudrait
opérer pour échapper, au niveau européen, à la tentation technocratico-diplomatique, et au niveau national,
aux routines et aux formes de pensée qui tendent à les
enfermer dans les limites de la nation. Et cela à un
moment où, sous l'effet notamment de la politique

néo-libérale et des forces de l'économie abandonnées à
leur logique, – avec par exemple la privatisation de
nombre de grandes entreprises et la multiplication des
« petits boulots », cantonnés le plus souvent dans les services, donc temporaires et à temps partiel, intérimaires
et parfois à domicile –, les bases mêmes d'un syndicalisme de militants sont menacées, comme l'attestent
non seulement le déclin de la syndicalisation, mais aussi
et surtout la faible participation des jeunes et surtout
des jeunes issus de l'immigration, qui suscitent tant
d'inquiétudes, et que personne – ou à peu près – ne
songe à mobiliser sur ce front.

Le syndicalisme européen qui pourrait être le moteur
d'une Europe sociale est donc à inventer, et il ne peut
l'être qu'au prix de toute une série de ruptures plus ou
moins radicales : rupture avec les particularismes nationaux, voire nationalistes, des traditions syndicales, toujours enfermées dans les limites des États, dont elles
attendent une grande part des ressources indispensables
à leur existence et qui définissent et délimitent les
enjeux et les terrains de leurs revendications et de leurs
actions ; rupture avec une pensée concordataire qui tend
à discréditer la pensée et l'action critiques, à valoriser le
consensus social au point d'encourager les syndicats à
partager la responsabilité d'une politique visant à faire
accepter aux dominés leur subordination ; rupture avec
le fatalisme économique, qu'encouragent non seulement le discours médiatico-politique sur les nécessités
inéluctables de la « mondialisation » et sur l'empire des
marchés financiers (derrière lesquels les dirigeants politiques aiment à dissimuler leur liberté de choix), mais
aussi la conduite même des gouvernements socio-
démocrates qui, en prolongeant ou en reconduisant, sur

des points essentiels, la politique des gouvernements conservateurs, font apparaître cette politique comme la seule possible et qui tentent de donner à des mesures de dérégulation favorables à un renforcement des exigences patronales les apparences de conquêtes inestimables d'une véritable politique sociale ; rupture avec un néo-libéralisme habile à présenter les exigences inflexibles de contrats de travail léonins sous les dehors de la « flexibi-lité » (avec par exemple les négociations sur la réduction du temps de travail et sur la loi des trente-cinq heures qui jouent de toutes les ambiguïtés objectives d'un rapport de force de plus en plus déséquilibré du fait de la généralisation de la précarité et de l'inertie d'un État plus incliné à le ratifier qu'à aider à le transformer).

Ce syndicalisme rénové appellerait des agents mobili-sateurs animés d'un esprit profondément internationa-liste et capables de surmonter les obstacles liés aux tra-ditions juridiques et administratives nationales et aussi aux barrières sociales intérieures à la nation, celles qui séparent les branches et les catégories professionnelles, et aussi les classes de genre, d'âge et d'origine ethnique. Il est paradoxal en effet que les jeunes, et tout spéciale-ment ceux qui sont issus de l'immigration, et qui sont si obsessionnellement présents dans les fantasmes collec-tifs de la peur sociale, engendrée et entretenue dans et par la dialectique de la concurrence politique pour les voix xénophobes et de la concurrence médiatique pour l'audience maximum, tiennent dans les préoccupations des partis et des syndicats progressistes une place inver-sement proportionnelle à celle que leur accordent, par-tout en Europe, le discours sur l'« insécurité » et la poli-tique qu'il encourage. Comment ne pas attendre ou espérer qu'une véritable internationale des « immigrés »

de tous les pays, Turcs, Kabyles, ou Surinamiens,
s'engage, en association avec les travailleurs natifs des
différents pays européens, dans une action transnatio-
nale contre les forces économiques dominantes qui, à
travers différentes médiations, sont aussi responsables
de leur émigration ? Les sociétés européennes auraient
en effet beaucoup à gagner si, d'objets passifs d'une
politique sécuritaire, ces jeunes que l'on s'obstine à
appeler « immigrés », aujourd'hui sans autres issues que
la soumission résignée, qu'on leur prêche parfois sous le
nom d'intégration, la petite ou la grande délinquance,
ou les formes modernes de la jacquerie que sont les
émeutes de banlieue, se transformaient en agents actifs
d'un mouvement social novateur et constructif. La
réintégration des immigrés dans le mouvement social
devrait être le premier pas vers une politique trans-
nationale.

Mais on peut songer aussi, pour développer, en
chaque citoyen, les dispositions internationalistes qui
sont désormais la condition de toutes les stratégies efficaces de résistance, à tout un ensemble de mesures, sans
doute dispersées et disparates telles que la création
d'une école syndicale européenne ; le renforcement, au
sein de chaque organisation syndicale, d'instances spéci-
fiquement aménagées en vue de traiter avec les organisations des autres nations et chargées notamment de
recueillir et de faire circuler l'information internationale ; l'établissement progressif de règles de coordination, en matière de salaires, de conditions de travail et
d'emploi (cela afin de combattre la tentation d'accepter
des accords sur une politique de modération des salaires
ou, comme dans certaines entreprises d'Angleterre, sur
un renoncement au droit de grève) ; l'institution, sur le

modèle de ceux qui existent, dès maintenant, dans les
transports (rail, route), de coordinations de syndicats
d'industries ; le renforcement, au sein des entreprises
multinationales, des comités d'entreprises internationaux, capables de résister aux pressions fractionnistes
des directions centrales ; l'encouragement de politiques
de recrutement et de mobilisation en direction des
immigrés qui, d'objets et d'enjeux des stratégies des partis et des syndicats, deviendraient ainsi des agents de
résistance et de changement, cessant d'être utilisés, au
sein même des organisations progressistes, comme des
facteurs de division et d'incitation à la régression vers la
pensée nationaliste, voire raciste ; la reconnaissance et
l'institutionnalisation de nouvelles formes de mobilisation et d'action, comme les coordinations et l'établissement de liens de coopération active entre syndicats des
secteurs public et privé qui ont des poids très différents
selon les pays ; la « conversion des esprits » (syndicaux et
autres) qui est nécessaire pour rompre avec la définition
étroite du « social », réduit au monde du travail fermé
sur lui-même, pour lier les revendications sur le travail
aux exigences en matière de santé, de logement, de
transports, de formation, de relations entre les sexes
et de loisir et pour engager des efforts de recrutement et
de resyndicalisation dans les secteurs traditionnellement
dépourvus de mécanismes de protection collective (services, emploi temporaire).

Mais on ne peut pas faire l'économie d'un objectif
aussi visiblement utopique que la *construction d'une
confédération syndicale européenne unifiée* : un tel projet
est sans doute indispensable pour inspirer et orienter la
recherche collective des innombrables transformations
des institutions collectives et des milliers de conversions

des dispositions individuelles qui seront nécessaires pour « faire » le mouvement social européen. Il n'est pas en effet de préalable plus absolu à la construction d'un tel mouvement que la répudiation de toutes les manières habituelles de penser le syndicalisme, les mouvements sociaux et les différences nationales en ces domaines ; pas de tâche plus urgente que l'invention des manières de penser et d'agir nouvelles qu'impose la précarisation. Fondement d'une nouvelle forme de discipline sociale, issue de l'insécurité et de la crainte du chômage, qui atteignent jusqu'aux niveaux les plus favorisés du monde du travail, la précarisation généralisée peut être au principe de solidarités d'un type nouveau, dans leur extension et dans leur principe, notamment à l'occasion de crises qui sont perçues comme particulièrement scandaleuses lorsqu'elles prennent la forme de débauchages massifs imposés par le souci de fournir des profits suffisants aux actionnaires d'entreprises largement bénéficiaires. Et le nouveau syndicalisme devra savoir s'appuyer sur les nouvelles solidarités entre victimes de la politique de précarisation, presque aussi nombreuses aujourd'hui dans des professions à fort capital culturel comme l'enseignement, les professions de la santé et les métiers de communication (comme les journalistes) que chez les employés et les ouvriers. Mais il devra préalablement travailler à produire et à diffuser aussi largement que possible une analyse critique de toutes les stratégies, souvent très subtiles, auxquelles collaborent, sans nécessairement le savoir, certaines actions des gouvernements socio-démocrates. Analyse d'autant plus difficile à mener, et surtout à imposer à ceux qu'elle devrait faire accéder à la lucidité sur leur condition, que les stratégies ambiguës du nouveau mode de domination sont

elles-mêmes bien souvent exercées, à tous les niveaux de
la hiérarchie sociale, par des victimes de semblables stratégies, enseignants précaires chargés d'élèves ou d'étudiants marginalisés et voués à la précarité, travailleurs
sociaux sans garanties sociales chargés d'accompagner et
d'assister des populations dont ils sont très proches par
leur condition, etc., tous portés à entrer et à entraîner
dans les illusions partagées.

Seule une utopie rationnelle comme celle qui propo-
serait l'espérance d'une vraie Europe sociale pourrait
assurer aux syndicats la vaste base militante qui leur fait
aujourd'hui défaut et qui les encouragerait ou les obli-
gerait à s'arracher aux intérêts corporatifs à court terme,
issus notamment de la concurrence pour le meilleur
positionnement sur le marché des services et des béné-
fices syndicaux. Seul le volontarisme universaliste d'un
mouvement social capable de dépasser les limites des
organisations traditionnelles, notamment en intégrant
pleinement le mouvement des chômeurs, serait en
mesure de combattre et de contrecarrer efficacement les
pouvoirs économiques et financiers sur le lieu même,
désormais international, de leur exercice. Les mouvements internationaux récents, dont la marche européenne des chômeurs n'est que le plus exemplaire, sont
sans doute les premiers signes, encore fugitifs, de la
découverte collective, au sein du mouvement social et
au-delà, de la nécessité vitale de l'internationalisme ou,
plus précisément, de l'internationalisation des modes de
pensée et des formes d'action.

                                        Paris, juin 1999

L'imposition du modèle américain et ses effets*

Les politiques économiques qui sont menées, dans tous les pays d'Europe, et que les grandes instances internationales, Banque mondiale, OMC et FMI imposent partout dans le monde, invoquent l'autorité de la science économique. En fait, elles sont fondées sur un ensemble de présupposés éthico-politiques qui sont inscrits dans une tradition historique particulière, incarnée aujourd'hui par les États-Unis d'Amérique. (À ce point de mon exposé, je dois dire ici, dans ce pays, à titre de préalable destiné à écarter, autant que c'est possible, les malentendus, que mon propos ne s'inspire d'aucune espèce d'anti-américanisme : j'entends par là l'hostilité principielle et préjudicielle à un peuple, ou à tel ou tel de ses représentants. La critique politique des États-Unis est dirigée en fait contre une relation de domination et contre la politique visant à la perpétuer ou à l'imposer et elle peut et doit mobiliser aussi bien des Américains que des non-Américains, – et, de fait, la lutte contre la politique de « *globalization* » a été souvent engagée par des Américains et des Américaines.)

Entre la théorie économique dans sa forme la plus pure, c'est-à-dire la plus formalisée, qui n'est jamais aussi neutre qu'elle veut le croire et le faire croire, et les politiques qui sont mises en œuvre en son nom ou légitimées par son intermédiaire, s'interposent des agents

---

* Intervention au Colloque Raisons d'agir-Loccumer Kreis, Loccum (Allemagne), 16-17 octobre 1999.

et des institutions qui sont imprégnés de tous les présupposés hérités de l'immersion dans un monde économique particulier, issu d'une histoire sociale singulière. L'économie que le discours néo-libéral constitue
en modèle doit un certain nombre de ses caractéristiques, prétendument universelles, au fait qu'elle est
immergée *(embedded)*, dans une société particulière,
c'est-à-dire enracinée dans un système de croyances et
de valeurs et une vision morale du monde, bref, un *sens
commun économique*, lié, en tant que tel, aux structures
sociales et aux structures cognitives d'un ordre social
particulier.

Il s'ensuit premièrement que le modèle de la politique économique qui est partout mise en œuvre uni-
versalise le cas particulier de l'économie américaine, à
laquelle il donne ainsi un énorme avantage compétitif,
pratique, et aussi symbolique, puisqu'il la justifie
d'exister comme elle existe ; deuxièmement qu'on ne
peut pas critiquer ce modèle sans critiquer les États-
Unis qui en sont la forme prototypique, paradigmatique, et sans s'exposer du même coup à la condamna-
tion a priori qui, tout particulièrement en Allemagne,
frappe tout ce qui est perçu comme ressortissant à
l'« anti-américanisme ». Ce modèle repose sur des pos-
tulats (qui sont présentés comme des propositions fondées en théorie et validées dans la réalité). Premier postulat : l'économie serait un domaine séparé gouverné
par des lois naturelles et universelles que les gouvernements ne doivent pas contrarier ; deuxième postulat : le
marché serait le moyen optimal d'organiser la production et les échanges de manière efficace et équitable
dans les sociétés démocratiques ; troisième postulat : la
« *globalization* » exigerait la réduction des dépenses

étatiques, spécialement dans le domaine des droits sociaux en matière d'emploi et de sécurité sociale, tenus pour à la fois coûteux et dysfonctionnels.

Il suffit de s'arracher à l'effet d'imposition symbolique qu'exerce la vision dominante pour voir que ce modèle doit moins aux principes purs de la théorie économique qu'aux caractéristiques historiques d'une tradition sociale particulière, celle des États-Unis d'Amérique, que je voudrais rapidement évoquer. Premièrement, *la faiblesse d'un État* qui, déjà réduit au minimum, a été affaibli systématiquement par la révolution conservatrice ultra-libérale (engagée par Reagan et prorogée par Clinton, et en particulier sa « *welfare reform* », extraordinaire euphémisme par antiphrase pour désigner la suppression de l'aide aux plus démunis, comme les mères célibataires), avec pour conséquence diverses caractéristiques de cette société paradoxale, qui, très avancée économiquement et scientifiquement, est très arriérée socialement et politiquement. Je mentionnerai, entre autres indices, un ensemble de faits convergents : *le monopole de la violence physique* est très mal assuré en raison de la très large diffusion des armes dans le public (l'existence d'un lobby des défenseurs du droit à posséder des armes, la National Rifle Association – NRA – autant que le nombre de détenteurs d'armes à feu, 70 millions, et de morts par balle, 30 000 par an en moyenne, sont des indices d'une tolérance instituée de la violence privée qui n'a pas d'équivalent dans les pays avancés) ; l'État s'est démis de toute fonction économique, vendant les entreprises qu'il possédait, *convertissant des biens publics* comme la santé, le logement, la sécurité, l'éducation et la culture – livres, films, télévision et radio – *en biens commerciaux et les usagers en clients*, sous-traitant les « services publics » au secteur privé, renonçant à son pouvoir de faire reculer l'inégalité (qui tend à s'accroître de façon démesurée) et déléguant à des niveaux inférieurs d'autorité (région, ville, etc.) les fonctions sociales, tout cela, au nom de la vieille tradition libérale de *self help* (héritée de la croyance calviniste que Dieu aide ceux qui s'aident eux-mêmes) et de l'exaltation conservatrice de la responsabilité individuelle – qui porte par exemple à imputer le chômage ou l'échec économique d'abord aux individus eux-mêmes, et non à l'ordre social, et qui, à travers la notion équivoque d'*employability* demande à chaque agent individuel, comme le remarque Franz Schultheis, de se placer lui-même sur le marché, en se faisant en quelque sorte entrepreneur de lui-même, traité comme capital humain, avec pour conséquence de redoubler par une sorte de culpabilité la misère de ceux qui sont rejetés par le marché ; la « démocratie américaine » est, contrairement à ce que porte à croire l'exaltation dont elle fait l'objet, pleine de dysfonctionnements graves tels que les taux d'abstention extrêmement élevés, le financement des partis, la dépendance à l'égard des médias et de l'argent, le rôle démesuré imparti au *lobbying*, etc.

Deuxièmement, la société américaine a sans doute poussé à sa limite extrême le développement et la généralisation de « l'esprit du capitalisme » dont Max Weber avait trouvé une incarnation paradigmatique chez Benjamin Franklin, et son exaltation de l'accroissement du capital convertie en « devoir » *(Beruf, calling)*. La mentalité calculatrice imprègne toute la vie et tous les domaines de la pratique sans exception et elle est inscrite dans les institutions (par exemple ce que l'on a appelé « academic market place ») et dans les échanges quotidiens.

Troisièmement, le culte de l'individu et de l'« individualisme », fondement de toute la pensée économique néo-libérale, est un des piliers de la doxa sur laquelle, selon Dorothy Ross, se sont construites les sciences sociales américaines [6]. La science économique repose sur une philosophie de l'action, l'individualisme méthodologique, qui ne veut et ne peut connaître que les actions sciemment et consciemment calculées d'agents isolés, visant des fins individuelles et égoïstes sciemment et consciemment posées. Quant aux actions collectives, comme celles qu'organisent les instances de représentation, partis, syndicats ou associations, et aussi l'État, instance chargée d'élaborer et d'imposer la conscience et la volonté collectives, et de contribuer à favoriser le renforcement de la solidarité, non seulement elle a peine à en rendre compte (avec le problème du *free rider*), mais elle tend à les réduire à de simples *agrégations d'actions individuelles isolées* (faute de savoir reconnaître en eux des modes de résolution et d'élaboration des conflits et des principes d'invention de nouvelles formes d'organisation sociale). Ce faisant, elle exclut en fait la politique, réduite à une somme d'actes individuels qui, accomplis, comme le vote, dans l'isolement et le secret de l'isoloir, sont l'équivalent exact de l'acte solitaire d'achat dans un supermarché. La philosophie implicite de l'économie et du rapport entre l'économie et la politique est une vision politique qui conduit à instaurer une frontière infranchissable entre l'économique, régi par les mécanismes fluides et efficients du marché,

---

6 – Cf. Dorothy Ross, *The Origins of American Social Science*, Cambridge, Harvard University Press, 1998.

et le social, habité par l'arbitraire imprévisible de la tradition, du pouvoir et des passions.

Quatrièmement, cet autre topique fondateur de la
vulgate américaine selon Dorothy Ross, l'exaltation du
dynamisme et de la souplesse de l'ordre social américain
(antithèse de la rigidité et de la peur du risque attri-
buées aux sociétés européennes) porte à lier l'efficacité
et la productivité à une *forte flexibilité* (par opposition
aux contraintes liées à une forte sécurité sociale) et
même à *faire de l'insécurité sociale un principe positif
d'organisation collective*, capable de produire des agents
économiques plus efficaces et productifs [7]. Des relations
de travail fondées sur l'institutionnalisation de l'insécurité (avec en particulier les nouveaux types de contrat
de travail) et de plus en plus particularisées pour s'ajus-
ter à la firme et aux exigences particulières du travail
(durées et horaires du travail, avantages, perspectives de
promotion, formes d'évaluation, types de rémunération, retraite, etc.) entraînent une désocialisation du
travail salarié et une atomisation méthodique des travailleurs.

Enfin, cinquièmement, une société qui s'arme de
l'insécurité tout en exaltant l'individualisme et la *self
help* est l'incarnation d'une *vision néo-darwiniste* (qui
s'exprime d'ailleurs ouvertement chez certains économistes comme Gary Becker – notamment dans un
article intitulé *De Gustibus non est disputandum*) en tout
point opposée à la *vision solidariste* que l'histoire du

---

7 – Alors qu'on peut avoir une forte productivité en associant,
comme c'est le cas pour des économies immergées dans des
sociétés de tradition différente, telles que celle du Danemark,
une forte flexibilité avec de fortes garanties sociales.

mouvement social a inscrite dans les structures sociales et les structures cognitives des sociétés européennes.

Pour comprendre comment ce modèle est en mesure de s'universaliser, il ne suffit pas d'invoquer la force des pressions et des contraintes économiques imposées par les marchés financiers, les grandes entreprises multinationales (notamment bancaires) et les organisations internationales (Banque mondiale, FMI, OMC) et la situation monopolistique où il se trouve du fait de l'effondrement de l'URSS identifiée au communisme. Il faut prendre en compte les effets proprement symboliques que peuvent produire les *think tanks*, les « experts », et surtout peut-être les journalistes, soumis aux forces économiques et politiques dominantes par l'intermédiaire des contraintes inscrites dans la structure du champ journalistique. Ces agents et ces institutions inculquent les nouvelles catégories de pensée en s'appuyant sur des ressorts divers, paresse et passivité d'esprit, scientisme, snobisme (paradoxal) ou, tout simplement, conservatisme, et cela *avec la complicité des Européens* eux-mêmes, dans une logique qui n'est pas sans rappeler celle de la *colonisation*.

Loccum, octobre 1999

Pour un savoir engagé*

Comme je n'ai pas beaucoup de temps, et que je voudrais que mon discours soit aussi efficace que possible, j'en viendrai directement à la question que je souhaite poser devant vous : les intellectuels, et plus précisément, les chercheurs, et plus précisément encore, les spécialistes en sciences sociales, peuvent-ils et doivent-ils intervenir dans le monde politique et à quelle condition peuvent-ils le faire efficacement ? Quel rôle peuvent-ils jouer dans le mouvement social, à l'échelle nationale et surtout internationale, c'est-à-dire au niveau même où se joue, aujourd'hui, le destin des individus et des sociétés ? Comment peuvent-ils contribuer à l'invention d'une nouvelle façon de faire de la politique ?

Premier point : pour éviter tout malentendu, il faut poser clairement qu'un chercheur, un artiste ou un écrivain qui intervient dans le monde politique ne devient pas pour autant un homme politique ; selon le modèle créé par Zola à l'occasion de l'affaire Dreyfus, il devient un intellectuel, ou, comme on dit aux États-Unis, un « *public intellectual* », c'est-à-dire quelqu'un qui engage dans un combat politique sa compétence et son autorité spécifiques, et les valeurs associées à l'exercice de sa profession, comme les valeurs de vérité ou de désintéressement, ou, en d'autres termes, quelqu'un qui va sur le terrain de la politique mais sans abandonner ses exigences et ses compétences de chercheur. (C'est dire, en

* « *A scholarship with committment*. Pour un savoir engagé », Convention de la MLA – Modern Language Association of America – sur « Scholarship and committment », Chicago, décembre 1999.

passant, que l'opposition que l'on fait souvent, dans la tradition anglo-saxonne, entre *scholarship* et *committment* est sans doute dépourvue de fondement : les interventions des artistes, des écrivains ou des savants – Einstein, Russell ou Sakharov – dans l'espace public trouvent leur principe, leur fondement, dans une »communauté » dévouée *(committed)* à l'objectivité, à la probité et au désintéressement. C'est d'ailleurs à son respect supposé de ces lois morales non-écrites, autant qu'à sa compétence technique, que le *scholar* doit son autorité sociale).

En intervenant ainsi, il s'expose à décevoir (le mot est beaucoup trop faible), ou mieux, à choquer, dans son propre univers, ceux qui voient dans le *committment* un manquement à la « neutralité axiologique » et, dans le monde politique, ceux qui voient en lui une menace pour leur monopole et, plus généralement, tous ceux que son intervention dérange. Il s'expose, en un mot, à réveiller toutes les formes d'anti-intellectualisme qui sommeillent ici et là, un peu partout, chez les puissants de ce monde – banquiers, patrons et hauts fonctionnaires –, chez les journalistes, chez les hommes politiques (y compris de « gauche »), presque tous, aujourd'hui, détenteurs de capital culturel, et, bien sûr, parmi les intellectuels eux-mêmes.

Mais condamner l'anti-intellectualisme, qui a presque toujours pour principe le ressentiment, ce n'est pas exempter pour autant l'intellectuel de toute critique : la critique à laquelle l'intellectuel peut et doit se soumettre lui-même ou, en d'autres termes, la réflexivité critique, est un préalable absolu à toute action politique des intellectuels. Le monde intellectuel doit se livrer en permanence à la critique de tous les abus de pouvoir ou d'autorité commis au nom de l'autorité intellectuelle ou, si l'on préfère, à la critique de l'usage de l'autorité intellectuelle comme arme politique ; il doit se soumettre aussi à la critique du *scholastic bias* dont la forme la plus perverse, et qui nous concerne particulièrement ici, est la propension à un révolutionnarisme sans objet et sans effet : je pense en effet que l'élan aussi généreux qu'irréaliste qui a porté nombre d'intellectuels de ma génération à s'en remettre aveuglément aux consignes de Parti inspire encore trop souvent aujourd'hui ce que j'appelle le *campus radicalism,* c'est-à-dire la propension à confondre les choses de la logique et la logique des choses, selon la formule impitoyable de Marx, ou, plus près des réalités actuelles, à prendre des révolutions dans l'ordre des mots, ou des textes, pour des révolutions dans l'ordre des choses.

Une fois clairement posés ces préalables critiques, apparemment négatifs, je crois pouvoir affirmer que les intellectuels (j'entends toujours par là les artistes, les écrivains et les savants qui s'engagent dans une action politique) sont indispensables à la lutte sociale, tout particulièrement aujourd'hui, étant donné les formes tout à fait nouvelles que prend la domination. Nombre de travaux historiques ont montré le rôle qu'ont joué les *think tanks* dans la production et l'imposition de l'idéologie néolibérale qui gouverne aujourd'hui le monde ; aux productions de ces *think tanks* conservateurs, groupements d'*experts* appointés par les puissants, nous devons opposer les productions de réseaux critiques, rassemblant des « intellectuels spécifiques » (au sens de Foucault) dans un véritable *intellectuel collectif* capable de définir lui-même les objets et les fins de sa réflexion et de son action, bref, autonome. Cet intellectuel collectif peut et doit remplir d'abord des fonctions négatives, critiques, en travaillant à produire et à disséminer des instruments de défense contre la domination symbolique qui s'arme aujourd'hui, le plus souvent, de l'autorité de la science ; fort de la compétence et de l'autorité du collectif réuni, il peut soumettre le discours dominant à une critique logique qui s'en prend notamment au lexique (« mondialisation », « flexibilité », etc.), mais aussi à l'argumentation, et en particulier à l'usage des métaphores ; il peut aussi le soumettre à une critique sociologique, qui prolonge la première, en mettant au jour les déterminants qui pèsent sur les producteurs du discours dominant (à commencer par les journalistes, économiques notamment) et sur leurs produits ; il peut enfin opposer une critique proprement scientifique à l'autorité à prétention scientifique des experts, surtout économiques.

Mais il peut aussi remplir une fonction positive en contribuant à un travail collectif d'invention politique. L'effondrement des régimes de type soviétique et l'affaiblissement des partis communistes dans la plupart des nations européennes et sud-américaines a libéré la pensée critique. Mais la doxa néo-libérale a rempli toute la place laissée ainsi vacante et la critique s'est réfugiée dans le « petit monde » académique, où elle s'enchante elle-même d'elle-même, sans être en mesure d'inquiéter réellement qui que ce soit en quoi que ce soit. Toute la pensée politique critique est donc à reconstruire, et elle ne peut pas, comme on a pu le croire en d'autres temps, être l'œuvre d'un seul, maître à penser livré aux seules ressources de sa pensée singulière, ou porte-parole autorisé par un groupe ou une institution pour porter la parole supposée des gens sans parole.

C'est là que l'intellectuel collectif peut jouer son rôle, irremplaçable, en contribuant à créer les conditions sociales d'une production collective d'utopies réalistes. Il peut organiser ou orchestrer la recherche collective de nouvelles formes d'action politique, de nouvelles façon de mobiliser et de faire travailler ensemble les gens mobilisés, de nouvelles façons d'élaborer des projets et de les réaliser en commun. Il peut jouer un rôle d'accoucheur en assistant la dynamique des groupes en travail dans leur effort pour exprimer, et du même coup découvrir, ce qu'ils sont et ce qu'ils pourraient ou devraient être et en contribuant à la recollection et à l'accumulation de l'immense savoir social sur le monde social dont le monde social est gros. Il pourrait ainsi aider les victimes de la politique néo-libérale à découvrir les effets diversement réfractés d'une même cause dans les événements et les expériences en apparence radicalement différents, surtout pour ceux qui les vivent, qui sont associés aux différents univers sociaux, médecine, éducation, services sociaux, justice, etc., d'une même nation ou de nations différentes.

La tâche est à la fois extrêmement urgente et extrêmement difficile. En effet, les représentations du monde social qu'il s'agit de combattre, contre lesquelles il faut résister, sont issues d'une véritable *révolution conservatrice,* comme on disait, dans l'Allemagne des années 30, des mouvements pré-nazis. Les *think tanks* d'où sont sortis les programmes politiques de Reagan ou Thatcher, ou, après eux, Clinton, Blair, Schröder ou Jospin, ont dû, pour être en mesure de rompre avec la tradition du *Welfare State*, opérer une véritable contre-révolution symbolique et produire une *doxa paradoxale* : conservatrice, elle se présente comme progressiste ; restauration du passé dans ce qu'il a parfois de plus archaïque (en matière de relations économiques notamment), elle fait passer des régressions, des rétrocessions pour des réformes ou révolutions. Cela se voit bien dans toutes les mesures visant à démanteler le *Welfare State*, c'est-à-dire à détruire tous les acquis démocratiques en matière de législation du travail, de santé, de protection sociale ou d'enseignement. Combattre une telle politique, c'est s'exposer à apparaître comme archaïque lorsqu'on défend les acquis les plus progressistes du passé. Situation d'autant plus paradoxale que l'on est amené à défendre des choses que l'on souhaite au demeurant transformer, comme le service public et l'État national, que nul ne songe à conserver en l'état, ou les syndicats ou même l'École publique, qu'il faut continuer à soumettre à la critique la plus impitoyable. C'est ainsi qu'il m'arrive aujourd'hui d'être suspecté de reniement ou accusé de contradiction lorsque je défends une École publique dont je n'ai pas cessé de rappeler qu'elle remplissait une fonction conservatrice.

Il me semble que les *scholars* ont un rôle déterminant à jouer dans le combat contre la nouvelle doxa et le cosmopolitisme purement formel de tous ceux qui n'ont à la bouche que des mots comme « *globalization* » ou « *global competitiveness* ». Cet universalisme de façade sert en fait les intérêts des dominants : il sert à condamner comme régression politiquement incorrecte vers le nationalisme la seule force, celle de l'État national, que, en l'absence d'un État mondial et d'une banque mondiale financée par une taxe sur la circulation des capitaux, les pays dits émergents, Corée du Sud ou Malaisie, puissent opposer à l'emprise des multinationales ; il permet de diaboliser et de stigmatiser, sous l'étiquette infamante d'islamisme par exemple, les efforts de tel ou tel pays du sud pour affirmer ou restaurer son « identité ». À cet universalisme verbal, qui sévit aussi dans les relations entre les sexes, et qui laisse les citoyens isolés et désarmés en face des puissances économiques internationales, les *committed scholars* peuvent opposer un nouvel internationalisme, capable d'affronter avec une force véritablement internationale des problèmes qui, comme les questions d'environnement, pollution atmosphérique, couche d'ozone, ressources non renouvelables ou nuages atomiques, sont nécessairement « globaux », parce qu'ils ne connaissent pas les frontières entre les nations ou entre les « classes » ; et aussi des problèmes plus purement économiques, ou culturels qui, comme les questions de la dette des pays émergents ou de l'emprise de l'argent sur la production et la diffusion culturelles (avec la concentration de la production et de la diffusion cinématographique, de l'édition, etc.), peuvent réunir des intellectuels résolument universalistes, c'est-à-dire réellement soucieux d'universaliser les conditions d'accès à l'universel, par delà les frontières entre les nations, et en particulier entre les nations du Nord et du Sud.

Pour ce faire, les écrivains, les artistes et surtout les chercheurs qui sont déjà, par profession, plus enclins et plus aptes à dépasser les frontières nationales, doivent transcender la *frontière sacrée*, qui est inscrite aussi dans leur cerveau, plus ou moins profondément selon les traditions nationales, entre le *scholarship* et le *committment*, pour sortir résolument du microcosme académique, entrer en interaction avec le monde extérieur (c'est-à-dire notamment avec les syndicats, les associations, et tous les groupes en lutte) au lieu de se contenter des

conflits « politiques » à la fois intimes et ultimes, et toujours un peu irréels, du monde scolastique, et inventer
une combinaison improbable, mais indispensable : le
savoir engagé, *scholarship with committment*, c'est-à-dire
une politique d'intervention dans le monde politique
qui obéisse, autant que possible, aux règles en vigueur
dans le champ scientifique. Ce qui, étant donné le
mélange d'urgence et de confusion qui est de règle dans
le monde de l'action, n'est véritablement et pleinement
possible que pour et par une organisation capable
d'orchestrer le travail collectif d'un ensemble international de chercheurs, d'artistes et de savants. Dans cette
entreprise collective, c'est sans doute aux savants que
revient le rôle primordial, à un moment où les forces
dominantes ne cessent d'invoquer l'autorité de la
science, économique notamment. Mais les écrivains, et
surtout peut-être les artistes (et tout spécialement,
parmi eux, ceux qui, comme Hans Haacke et Nancy
Frazer, pour ne citer que deux de mes amis américains,
ont déjà engagé leur talent dans des combats critiques)
ont aussi leur place, importante. « Il n'y a pas de force
intrinsèque de l'idée vraie », disait Spinoza, et ce n'est
pas le sociologue qui peut lui donner tort. Mais il peut
suggérer aussi que les écrivains et les artistes pourraient,
dans la nouvelle division du travail politique, ou, plus
exactement, dans la nouvelle manière de faire la politique qu'il s'agit d'inventer, jouer un rôle tout à fait
irremplaçable : donner de la *force symbolique*, par les
moyens de l'art, aux idées, aux analyses critiques ; et,
par exemple, donner une forme *visible et sensible* aux
conséquences, encore invisibles, mais scientifiquement
prévisibles, des mesures politiques inspirées par les
philosophies néo-libérales.

J'aimerais, pour conclure, rappeler ce qui s'est passé à Seattle, le mois dernier. Je crois que, sans en surestimer l'importance, on peut voir dans cet événement une première expérience, exemplaire, qu'il faut analyser, pour tenter de dégager les principes de ce que pourraient être les moyens et les fins d'une action politique internationale dans laquelle les acquis de la recherche seraient transformés en manifestations politiques réussies ou même en instruments d'intervention rapide d'une nouvelle forme d'Agit Prop ; ce que pourraient être, de façon plus générale, les stratégies de lutte politique d'une nouvelle Organisation non gouvernementale définie par un dévouement *(committment)* total à l'internationalisme et une adhésion entière au professionnalisme *(scholarship)*.

Paris-Chicago, décembre 1999

La main invisible des puissants*

Nous avons une Europe des banques et des banquiers, une Europe des entreprises et des patrons, une Europe des polices et des policiers, nous aurons bientôt une Europe des armées et des militaires, mais, bien qu'il existe une Fédération européenne des syndicats, on ne peut pas dire que l'Europe des syndicats et des associations existe vraiment ; de même, bien qu'on ne compte plus les colloques où l'on disserte sur l'Europe et les institutions académiques où l'on parle académiquement des problèmes européens, l'Europe des artistes, des écrivains et des savants existe sans doute beaucoup moins qu'elle n'a existé à d'autres époques du passé. Le paradoxe est que, cette Europe qui se construit autour des pouvoirs et des puissants, et qui est si peu européenne, on ne peut la critiquer sans s'exposer à être confondu avec les résistances archaïques d'un nationalisme réactionnaire (qui, malheureusement, existe, lui, indiscutablement) et à contribuer ainsi à la faire apparaître comme moderne, sinon progressiste.

Il faut faire exister ce qu'il y a de plus européen dans la tradition européenne, c'est-à-dire un mouvement social critique, un mouvement de critique sociale, capable de soumettre le travail de construction européenne à une contestation *efficace*, c'est-à-dire assez forte intellectuellement et politiquement pour se faire entendre, et produire des effets réels. Cette contestation

* Conférence « Pour une Europe sociale », organisée par l'Union des syndicats suisses, Zürich, Rote Fabrik, 18 mai 2000 ; adresse aux étudiants de la Humboldt Universität, Berlin, 10 juin 2000.

critique vise non à annuler le projet européen, à le neutraliser, mais au contraire, à le *radicaliser* et, par là, à le
rendre plus *proche* des citoyens et en particulier des plus
jeunes d'entre eux qu'on dit souvent dépolitisés, alors
qu'ils sont simplement dégoûtés de la politique que leur
offrent les politiciens, dégoûtés de la politique par les
politiciens. Il faut redonner un sens à la politique et,
pour cela, proposer des projets d'avenir capables de
donner un sens à un monde économique et social qui a
connu, au cours des dernières années, d'immenses
transformations.

On se rappelle que, dans les années 30, Bearle and
Means décrivaient l'avènement des *managers*, au détriment des *owners*, des actionnaires. Aujourd'hui, on
assiste à un retour des *owners* mais qui n'est qu'*appa-
rent* : ils n'ont pas plus de pouvoir qu'à l'époque de la
« technostructure » de Galbraith. En fait, les maîtres de
l'économie ne sont plus les *managers* soumis à la tyran-
nie des taux de profit, c'est-à-dire ces PDG qui sont sus-
ceptibles d'être remerciés ou congédiés (le plus souvent
avec de formidables indemnités) en fonction de l'examen trimestriel de la « valeur actionnariale » qu'ils ont
dégagée ou ces cadres qui sont payés à court terme au
pourcentage des affaires qu'ils apportent et qui suivent
au jour le jour les cours de la Bourse dont dépend la
valeur de leurs *stock-options*. Mais ce ne sont pas non
plus les *owners*, c'est-à-dire les petits porteurs individuels d'actions, comme le voudrait la mythologie de la
« démocratie des actionnaires ».

Ce sont en fait les gestionnaires des grandes institutions (fonds de pension, grandes compagnies d'assurances et, surtout aux États-Unis, fonds de placements
collectifs, *money market funds* ou *mutual funds*) qui

dominent aujourd'hui le champ du capital financier dans lequel ce capital financier est un enjeu et une arme (comme aussi certaines formes spécifiques de capital culturel, que peuvent mobiliser, avec une grande effica-cité symbolique, les conseils spécialisés, les analystes et les autorités monétaires). Ils détiennent de ce fait un formidable pouvoir de pression, tant sur les entreprises que sur les États. Ils sont en effet en mesure d'imposer l'obligation qui s'impose à eux d'obtenir ce que Frédéric Lordon appelle, par une référence ironique au salaire minimum, un *revenu actionnarial minimum garanti* du capital [8] : présents dans les conseils d'administration des entreprises *(corporate governance)*, ils sont contraints par la logique du système qu'ils dominent d'imposer la recherche de profits de plus en plus élevés (12, 15 et jusqu'à 18 % du capital investi) que les firmes ne peu-vent atteindre qu'au prix de licenciements. Ils transfè-rent ainsi l'impératif du profit à court terme, constitué en fin pratique de tout le système – au mépris des conséquences écologiques et surtout humaines – sur les managers qui sont amenés à leur tour à faire retomber le risque sur les salariés – à travers notamment les licen-ciements. Bref, du fait que les dominants de ce jeu sont dominés par les règles du jeu qu'ils dominent, celle du profit, ce champ fonctionne comme une sorte de machine infernale sans sujet qui impose sa loi aux États et aux entreprises.

Dans les entreprises, c'est aussi la recherche du profit à court terme qui commande tous les choix, notam-ment la politique de recrutement, soumis à l'impératif

---

8 – Frédéric Lordon, *Fonds de pension, piège à cons ? Mirage de la démocratie actionnariale*, Paris, Raisons d'agir Éditions, 2000.

de flexibilité – et de mobilité (avec le recrutement sur contrats à court terme ou à base temporaire), l'individuation de la relation salariale[9] et l'absence de planification à long terme, notamment en matière de main d'œuvre. Avec la menace constante du « dégraissage », toute la vie des salariés est placée sous le signe de l'insécurité et de l'incertitude. Tandis que le système antérieur assurait la sécurité de l'emploi et un niveau de rémunération relativement élevé qui, en alimentant la demande, soutenait la croissance et le profit, le nouveau mode de production maximise le profit en réduisant la masse salariale par la compression des salaires et les licenciements, l'actionnaire s'inquiétant seulement des cours de la Bourse dont dépend son revenu nominal et de la stabilité des prix qui doit maintenir le revenu réel au plus près du nominal. Ainsi s'est institué un régime économique qui est inséparable d'un régime politique, un mode de production qui implique un mode de domination fondé sur l'*institution de l'insécurité*, la domination par la précarité : un marché financier dérégulé favorise un marché du travail dérégulé, donc un travail précaire qui impose la soumission aux travailleurs.

On a affaire, dans les entreprises, à un management rationnel qui utilise l'arme de l'insécurité (entre autres instruments) pour mettre les travailleurs en état de risque, de stress, de tension. À la différence de la précarité « traditionnelle » des services et du bâtiment, la *précarité institutionnalisée* des entreprises de l'avenir devient principe de l'organisation du travail et style de

---

9 – Sur ce point, voir Pierre Bourdieu, *Contre-feux*, Paris, Raisons d'agir Éditions, 1998, p. 111.

vie. Comme Gilles Balbastre l'a montré, certaines entreprises de télévente ou de télémarketing, dont les salariés, les « téléconseillers », doivent téléphoner à domicile
pour vendre les produits, ont mis au point un régime
qui, du point de vue de la productivité, du contrôle et
de la surveillance, des horaires de travail et de l'*absence
de carrière*, est un véritable *taylorisme des services.* Par
opposition aux OS du taylorisme, les salariés sont souvent très qualifiés. Mais le prototype de l'OS de la « nouvelle économie » est sans doute la caissière de supermarché, convertie par l'informatisation de l'enregistrement
des prix en véritable travailleuse à la chaîne, dont les
cadences sont minutées, chronométrées, contrôlées, et
dont l'emploi du temps varie au gré des variations du
flot de clients ; elle n'a ni la vie ni le style de vie d'une
ouvrière d'usine, mais elle occupe une position équivalente dans la nouvelle structure.

À travers ces entreprises qui contribuent à instituer
une vision du monde consumériste, et qui n'offrent
aucune sécurité à leurs salariés, s'annonce une réalité
économique qui se rapproche de la philosophie sociale
inhérente à la théorie néo-classique ; comme si la philosophie instantanéiste, individualiste, ultra subjectiviste
de l'économie néo-classique avait trouvé dans la politique néo-libérale le moyen de se rendre vraie, avait créé
les conditions de sa propre vérification. Ce *système en
instabilité chronique* est structurellement exposé au *risque*
(et pas seulement parce que la crise, liée aux bulles spé-
culatives, est sans cesse suspendue au-dessus de lui
comme une épée de Damoclès). On voit en passant
que, lorsqu'ils exaltent l'avènement de la société du
risque et reprennent à leur compte le mythe de la transformation de tous les salariés en petits entrepreneurs

dynamiques, Ulrich Beck et Anthony Giddens ne font
que constituer en normes des pratiques des dominés les
règles qui sont imposées à ces derniers par les nécessités
de l'économie – et dont les dominants ont soin de
s'exempter [10].

Mais la conséquence majeure de ce nouveau mode de
production est l'instauration d'une *économie duale* (qui
a, paradoxalement, beaucoup de points communs avec
l'économie dualiste que j'ai observée en Algérie dans les
années 60, avec d'un côté une énorme armée de réserve
industrielle, faite d'un sous-prolétariat sans carrière,
sans avenir, sans projet, individuel ou collectif, et
condamné de ce fait aux rêveries millénaristes – plutôt
qu'aux ambitions révolutionnaires – et, de l'autre, une
petite minorité privilégiée de travailleurs stables et dotés
d'un salaire permanent). La dualité des statuts et des
revenus ne cesse de s'accroître : les emplois subalternes
de service, sous-payés, à faible productivité, non qualifiés ou sous-qualifiés (fondés sur une formation accélé-
rée sur le tas), et n'assurant pas de carrière, bref les
emplois jetables d'une « société de serviteurs », comme
dit André Gorz, se multiplient. D'après Jean Gadrey
citant une enquête américaine, sur les 30 jobs qui vont
croître le plus, 17 n'exigent aucune qualification et
8 exigent une qualification supérieure [11]. À l'autre bout
de l'espace social, les *dominants-dominés*, c'est-à-dire les
cadres, connaissent une forme nouvelle d'aliénation. Ils

---

10 – On pourra trouver une version « française » de l'exaltation
du risque et de l'insécurité sociale, sous la plume de François
Ewald et Denis Kessler, « Les noces du risque et de la politique »
Le Débat, 109, mars-avril 2000, p. 55-72.
11 – Jean Gadrey, *Nouvelle économie, nouveau mythe ?*, Paris,
Flammarion, 2000, p. 90.

occupent une position ambiguë, équivalente à celle des petits-bourgeois dans un autre état de la structure, qui conduit à des formes d'auto-exploitation organisée (la durée annuelle moyenne de travail progresse aux USA avec un déclin corrélatif du temps de loisir : ils gagnent beaucoup d'argent mais n'ont pas le temps de le dépenser). Surmenés, stressés, menacés de licenciement, ils sont pourtant enchaînés à l'entreprise.

Quoi qu'en disent les prophètes de la « nouvelle économie », ce dualisme ne se voit jamais aussi bien que dans *les usages sociaux de l'informatique.* Les chantres de la « nouvelle économie » et de la vision Silicon Valley tendent à considérer les changements économiques et sociaux observables aujourd'hui comme un effet fatal de la technologie alors qu'ils sont le résultat des usages sociaux économiquement et socialement conditionnés qui en sont faits. En fait, contrairement à l'illusion de la nouveauté sans précédent, les contraintes structurales inscrites dans l'ordre social – comme la logique de la transmission du capital culturel et scolaire qui est la condition de la maîtrise véritable des nouveaux outils, *aussi bien techniques que financiers* –, continuent à peser sur le présent et à façonner l'inédit et l'inouï.

L'analyse statistique des usages et des usagers de l'informatique montre que la coupure est très forte entre les « interacteurs » et les « interagis » et qu'elle a pour principe la distribution inégale du capital culturel, donc, en dernier ressort, le système scolaire et la transmission familiale du capital[12]. L'utilisateur modal de

---

12 – Je m'appuie ici notamment sur les travaux de Michel Gollac, en particulier *Actes de la recherche en sciences sociales* (L'informatique au travail), 134, septembre 2000.

l'informatique est un homme, âgé de moins de 35 ans, ayant fait des études supérieures, doté d'un revenu élevé, citadin et parlant l'anglais. Et il n'y a à peu près rien de commun entre les virtuoses qui peuvent écrire eux-mêmes leurs programmes et les nouveaux travailleurs à la chaîne de l'informatique, tels les assistants téléphonistes qui font les trois-huit pour maintenir la *hot line* des fournisseurs d'accès 24 heures sur 24 ou les net surfeurs alimentant les annuaires ou les intégrateurs qui font du copier-coller et qui, atomisés, isolés, dépourvus de toute représentation (délégués du personnel), sont voués au turnover, etc. De même, dans l'ordre des usages économiques et financiers, ceux qui sont branchés sur Internet et qui disposent de terminaux ou de logiciels leur permettant de commercer et d'effectuer des opérations bancaires à domicile s'opposent à ceux qui sont à l'écart de ce réseau. Et le mythe selon lequel l'Internet devait changer les rapports entre le Nord et le Sud est brutalement démenti par les faits : en 1997, les 20 % les plus riches de la population mondiale représentaient 93,3 % des utilisateurs d'Internet, et les 20 % les plus pauvres, 0,2 %. L'immatériel, tant au niveau des nations que des individus, s'appuie sur des structures bien réelles, comme les systèmes d'enseignement et les laboratoires, sans parler des banques et des entreprises.

Au sein des sociétés les plus riches, ce dualisme repose, pour une grande part, sur la distribution inégale du capital culturel qui, outre qu'il continue à déterminer grandement la division du travail, constitue un instrument très puissant de *sociodicée*. La classe dirigeante doit sans doute son extraordinaire *arrogance* au fait que, étant dotée d'un très fort capital culturel, d'origine scolaire, évidemment, mais aussi non scolaire, elle se sent

parfaitement justifiée d'exister comme elle existe (le
paradigme du nouveau bourgeois conquérant pourrait
être Bill Gates). Le diplôme n'est pas seulement un titre
de noblesse scolaire ; il est perçu comme une garantie
d'*intelligence naturelle*, de don. C'est ainsi que la « nouvelle économie » a toutes les propriétés pour apparaître
comme le meilleur des mondes (au sens de Huxley) :
elle est globale – et ceux qui la dominent sont internationaux, polyglottes et polyculturels (par opposition aux
locaux, « nationaux » ou « provinciaux ») ; elle est
« *immatérielle* », elle produit et fait circuler des objets
immatériels, de l'information, des produits culturels.
Elle peut ainsi apparaître comme une *économie de
l'intelligence*, réservée aux gens « intelligents » (ce qui lui
attire la sympathie des journalistes et des cadres « branchés »). La sociodicée prend ici la forme d'un *racisme
de l'intelligence*. Désormais, les pauvres ne sont pas
pauvres, comme au XIXe siècle, parce qu'ils sont impré-
voyants, dépensiers, intempérants, etc. (par opposition
au *deserving poor*), mais parce qu'ils sont imbéciles,
incapables intellectuellement, idiots. Bref, « ils n'ont
que ce qu'ils méritent » scolairement. Certains économistes, comme Gary Becker, peuvent trouver dans un
néo-darwinisme qui fait de la rationalité postulée par
la théorie économique le produit de la sélection naturelle des meilleurs, la justification imparable du règne
de « *the best and the brightest* ». Et la boucle est bouclée
lorsque l'économie demande à la mathématique (deve-
nue par ailleurs un des instruments majeurs de la sélection sociale) la justification *épistémocratique* la plus
indiscutable de l'ordre établi. Les victimes d'un mode
de domination aussi puissant, qui peut se réclamer
d'un principe de domination et de légitimation aussi

universel que la rationalité (relayé par le système scolaire), sont atteints, très profondément, dans leur image d'eux-mêmes. Et c'est sans doute par ce biais que peut s'établir la relation, le plus souvent inaperçue ou incomprise, entre les politiques néo-libérales et certaines formes fascistoïdes de révolte de ceux qui, se sentant exclus de l'accès à l'intelligence et à la modernité, sont renvoyés vers le refuge du national et du nationalisme.

(En fait, si la vision néo-libérale est difficile à combattre efficacement, c'est que, conservatrice, elle se présente comme progressiste et qu'elle peut renvoyer du côté du conservatisme, voire de l'archaïsme, toutes les critiques et notamment, celles qui s'en prennent à la destruction des conquêtes sociales du passé. C'est ainsi que les gouvernements qui se réclament de la social-démocratie peuvent mettre dans le même sac – avec l'amalgame « rouges-bruns » – les critiques de ceux qui leur reprochent le reniement de leur programme socialiste et celles des victimes de ce reniement qui leur reprochent ce qu'ils croient être leur socialisme.)

Le néo-libéralisme vise à détruire l'État social, la main gauche de l'État (dont il est facile de montrer qu'il est le garant des intérêts des dominés, démunis culturellement et économiquement, femmes, ethnies stigmatisées, etc.). Le cas le plus exemplaire est celui de la santé que la politique néo-libérale attaque par les deux bouts, en contribuant à l'accroissement du nombre des malades et des maladies (à travers la corrélation entre la misère – causes structurales – et la maladie : alcoolisme, drogue, délinquance, accidents du travail, etc.), et en réduisant les ressources médicales, les moyens de soigner (c'est l'exemple de la Russie, où l'espérance de vie a baissé de 10 ans en 10 ans ! – et de l'Angleterre).

Dans certains pays d'Europe, comme la France, on assiste à l'émergence d'une nouvelle forme de travail social à fonctions multiples qui *accompagne la reconversion collective au néo-libéralisme* : d'une part, occuper, à la façon des Ateliers nationaux en d'autres temps, des détenteurs de titres scolaires dévalorisés, souvent généreux et militants, en leur faisant encadrer des gens occupant une position homologue ; d'autre part, endormir-encadrer les laissés-pour-compte de l'École en leur proposant une fiction de travail et en faisant d'eux des salariés sans salaire, des entrepreneurs sans entreprise, des étudiants prolongés sans espoir de diplômes ou de qualifications. Toutes ces formes d'encadrement social qui encouragent une sorte d'auto-mystification collective (notamment par le brouillage de la frontière entre travail et non travail, entre études et travail, etc.), et une croyance dans un univers de simili dont le symbole est l'idée de « projet », reposent sur une philosophie sociale « caritative » et une sociologie *soft*, qui se veut compréhensive et qui, entendant prendre le point de vue des « sujets » qu'elle veut mettre en action (« sociologie action »), est conduite à reprendre à son compte la vision mystifiée et mystificatrice du travail social (à l'opposé d'une sociologie rigoureuse, vouée à apparaître, depuis ce point de vue, comme déterministe et pessimiste parce qu'elle prend acte des structures et de leurs effets).

En face d'un mode de domination aussi complexe et raffiné, dans lequel le pouvoir symbolique tient une place si importante, il faut inventer de nouvelles formes de lutte. Étant donné la place particulière des « idées » dans ce dispositif, les chercheurs ont un rôle éminent à jouer. Il leur faut pour cela contribuer à donner à l'action politique de nouvelles fins – la démolition des croyances dominantes – et de nouveaux moyens – des armes techniques, fondées sur la recherche et la maîtrise des travaux scientifiques, et des armes symboliques, propres à ébranler les croyances communes en donnant une forme sensible aux acquis de la recherche.

Le mouvement social européen qu'il s'agit de créer a pour objectif une utopie, c'est-à-dire une Europe dans laquelle toutes les forces sociales critiques, aujourd'hui très diverses et très dispersées, seraient suffisamment intégrées et organisées pour être une force de mouvement critique ; et il a lui-même quelque chose d'utopique tant sont immenses les obstacles – linguistiques, économiques, techniques – à un tel rassemblement. La multiplicité et la diversité des mouvements qui se proposent tout ou partie des objectifs que nous nous proposons, est en fait la première et la principale justification d'une entreprise collective visant à unifier et à intégrer, sans annexer ni monopoliser, en travaillant à aider les individus et les organisations engagés sur ce terrain à surmonter les effets de la concurrence. Il s'agit en effet avant tout de proposer un *ensemble cohérent de propositions alternatives élaborées conjointement par des chercheurs et des acteurs* (en évitant toute espèce d'instrumentalisation des premiers par les seconds et inversement) et capables d'unifier le mouvement social en dépassant les divisions entre les traditions nationales et, à l'intérieur de chaque nation, entre les catégories professionnelles et les catégories sociales (travailleurs et chômeurs notamment), les sexes, les générations, les origines ethniques (immigrés et nationaux). C'est seulement au prix de l'immense travail collectif qui est nécessaire pour coordonner les activités critiques, à la fois théoriques et pratiques, de tous les mouvements sociaux nés de la volonté de combler les lacunes de l'action politique dépolitisante de la social-démocratie au pouvoir, que pourront être inventées les structures de recherche, de discussion et de mobilisation à plusieurs niveaux (international, national et local) qui inscriront peu à peu dans les choses et dans les esprits une nouvelle manière de faire de la politique.

Zürich, mai 2000 – Berlin, juin 2000

Contre la politique
de dépolitisation

Tout ce que l'on décrit sous le nom à la fois descriptif et normatif de « mondialisation » est l'effet non d'une fatalité économique, mais d'une politique, consciente et délibérée, mais le plus souvent inconsciente de ses conséquences. Tout à fait paradoxale, puisqu'il s'agit d'une *politique de dépolitisation*, cette politique qui puise sans vergogne dans le lexique de la liberté, libéralisme, libéralisation, dérégulation, vise à conférer une emprise fatale aux déterminismes économiques en les *libérant* de tout contrôle et à obtenir la soumission des gouvernements et des citoyens aux forces économiques et sociales ainsi « libérées ». C'est cette politique élaborée dans les réunions des grands organismes internationaux, comme l'OMC ou la Commission européenne, ou au sein de tous les « réseaux » d'entreprises multinationales, qui s'est imposée, par les voies les plus diverses, juridiques notamment, aux gouvernements libéraux ou même socio-démocrates d'un ensemble de pays économiquement avancés, les conduisant à se déposséder peu à peu du pouvoir de contrôler les forces économiques.

Contre cette politique de dépolitisation, il s'agit de *restaurer la politique,* c'est-à-dire la pensée et l'action politiques, et de trouver à cette action son juste point d'application, qui se situe désormais au-delà des frontières de l'État national, et ses moyens spécifiques, qui ne peuvent plus se réduire aux luttes politiques et syndicales au sein des États nationaux. La tâche, il ne faut pas le cacher, est extrêmement difficile, et pour de multiples raisons : d'abord parce que les instances politiques qu'il s'agit de combattre sont extrêmement éloignées, et pas seulement au point de vue géographique, et ne ressemblent à peu près en rien, ni dans leurs méthodes, ni dans leurs agents, aux institutions auxquelles s'affrontaient les luttes traditionnelles. Ensuite, parce que le pouvoir des agents et des mécanismes qui dominent aujourd'hui le monde économique et social repose sur une concentration extraordinaire de toutes les espèces de capital, économique, politique, militaire, culturel, scientifique, technologique, fondement d'une domination symbolique sans précédent, qui s'exerce notamment à travers l'emprise des médias, eux-mêmes manipulés, le plus souvent à leur insu, par les grandes agences internationales de communication, et par la logique de la concurrence qui les oppose.

Il reste que certains des objectifs d'une action politique efficace se situent au niveau européen – dans la mesure au moins où les entreprises et les organisations européennes constituent un élément déterminant des forces dominantes à l'échelle mondiale. Il s'ensuit que la construction d'un mouvement social européen unifié, capable de rassembler les différents mouvements, actuellement divisés, tant à l'échelle nationale qu'à l'échelle internationale, s'impose comme un objectif raisonnable pour tous ceux qui entendent résister efficacement aux forces dominantes[13].

---

13 – Je reviendrai plus loin (p. 68-72) sur le choix de situer le mouvement social à l'échelle européenne.

UNE COORDINATION OUVERTE

Les mouvements sociaux, si divers soient-ils par leurs origines, leurs objectifs et leurs projets, ont tout un ensemble de *traits communs* qui leur donnent un air de famille. En premier lieu, notamment parce qu'ils sont issus, très souvent, du refus des formes traditionnelles de mobilisation politique, et en particulier de celles qui perpétuent la tradition des partis de type soviétique, ces mouvements sont enclins à exclure toute espèce de monopolisation par des minorités et à favoriser la participation directe de tous les intéressés (cela grâce en partie à l'apparition de leaders d'un type nouveau, qui sont dotés d'une culture politique très largement supérieure à celle des responsables traditionnels et qui sont capables d'entendre et d'exprimer un nouveau type d'attentes sociales). Proches en cela de la tradition libertaire, ils sont attachés à des formes d'organisation d'inspiration auto-gestionnaire caractérisées par la légèreté de l'appareil et permettant aux agents de se réapproprier leur rôle de sujets actifs – notamment contre les partis auxquels ils contestent le monopole de l'intervention politique. Second trait commun, ils inventent ou réinventent des formes d'action originales dans leurs fins et dans leurs moyens, à fort contenu symbolique. Ils s'orientent vers des objectifs précis, concrets et importants pour la vie sociale, logement, emploi, santé, sans papiers, etc., auxquels ils s'efforcent d'apporter des solutions directes et pratiques ; et ils veillent à ce que leurs refus comme leurs propositions se concrétisent dans des actions exemplaires, directement liées au problème concerné et demandant un fort engagement personnel des militants et des responsables, qui, pour la plupart, sont passés maîtres dans l'art de créer l'événement, de dramatiser un enjeu propre à focaliser le regard médiatique et, par ricochet, politique, grâce à une bonne connaissance du fonctionnement du monde médiatique. Ce qui ne signifie pas que ces mouvements soient de simples artefacts, créés de toutes pièces par une petite minorité appuyée sur les médias. En fait, l'usage réaliste des médias s'est combiné à un travail militant qui, mené de longue date aux marges des mouvements « traditionnels » – partis, syndicats –, et parfois avec la collaboration et le soutien d'une fraction, elle-même marginale et minoritaire, de ces mouvements, a trouvé dans diverses conjonctures l'occasion de devenir plus visible, ce qui en a élargi, au moins ponctuellement, la base sociale. Le fait le plus remarquable étant que ces mouvements nouveaux, en partie par la seule vertu de leur exemplarité, en partie parce qu'il y a eu des inventions simultanées par-delà les frontières, comme dans le cas des luttes pour le logement, ont immédiatement revêtu une forme internationale. (Reste que la spécificité des nouvelles formes de luttes tient au fait qu'elles se nourrissent de la publicité qui leur est donnée, parfois à contrecœur, par les médias ; et que le nombre de manifestants importe désormais moins que l'écho médiatique et politique suscité par une manifestation ou une action – quelle qu'elle soit, parfois un texte dans un journal. Mais la visibilité médiatique est par définition partielle et souvent partiale, et surtout éphémère. Les porte-parole sont interviewés, on passe quelques reportages pathétiques, mais les revendications des mouvements sont rarement prises au sérieux dans les débats publics, du fait, notamment, des limites de la compréhension et de la retransmission médiatique.

C'est pourquoi il est indispensable de mener, *dans la durée*, et indépendamment des occasions médiatiques, un travail militant et un effort d'élaboration théorique.) Troisième caractéristique typique, ils refusent les politiques néo-libérales visant à imposer les volontés des grands investisseurs institutionnels et des multinationales. Quatrième trait, ils sont, à des degrés différents, internationaux et internationalistes. (C'est particulièrement visible dans le cas du mouvement des chômeurs ou du mouvement animé par la Confédération paysanne et José Bové, chez qui il y a à la fois le sentiment et la volonté de défendre les petits paysans français, mais aussi le sentiment et la volonté de défendre les paysans sans terre d'Amérique latine, etc. Tous ces mouvements sont à la fois particularistes et internationalistes ; ils ne défendent pas l'Europe insulaire, isolée, mais, à travers l'Europe, un certain type de gestion sociale de l'économie qui doit se faire en liaison évidemment avec d'autres pays, avec la Corée, par exemple où il y a beaucoup de gens qui attendent beaucoup de la solidarité transcontinentale.) Dernière propriété distinctive et commune, ils exaltent la solidarité, qui est le principe tacite de la plupart de leurs luttes, et s'efforcent de la mettre en œuvre, tant par leur action (avec la prise en charge de tous les « sans ») que par la forme d'organisation dont ils se dotent.

Le constat d'une telle proximité dans les fins et les moyens des luttes politiques impose de rechercher sinon l'unification (sans doute ni possible ni souhaitable) de tous les mouvements dispersés que réclament souvent les militants, surtout les plus jeunes, frappés des convergences et des redondances, du moins une *coordination des revendications et des actions exclusive de toute volonté d'appropriation*: cette coordination devrait prendre la forme d'un *réseau* capable d'associer des individus et des groupes dans des conditions telles que nul ne puisse dominer ou réduire les autres et que soient conservées toutes les ressources liées à la diversité des expériences, des points de vue et des programmes. Elle aurait pour fonction principale d'arracher les mouvements sociaux à des actions fragmentées et dispersées et aux particularismes des actions locales, partielles et ponctuelles et de leur permettre notamment de surmonter les intermittences ou les alternances entre les moments de mobilisation intense et les moments d'existence latente ou ralentie, – cela sans sacrifier pour autant à la concentration bureaucratique.

Actuellement il y a beaucoup de connexions, beaucoup d'entreprises communes mais qui restent extrêmement dispersées, à l'intérieur de chaque pays et à plus forte raison, entre les pays. Par exemple, il existe dans chaque pays, de très nombreux journaux, hebdomadaires ou revues critiques, sans parler des sites Internet, qui sont pleins d'analyses, de suggestions, de propositions pour l'avenir de l'Europe et du monde, mais tout ce travail reste dispersé et personne ne lit tout ça ; ceux qui produisent ces travaux sont souvent en concurrence les uns avec les autres, ils se critiquent les uns les autres, alors que leurs contributions sont complémentaires et peuvent être cumulées. Les dominants voyagent, ils ont de l'argent, ils sont polyglottes, ils sont liés par des affinités de culture et de style de vie. En face, on a des gens dispersés, séparés par des barrières linguistiques ou sociales. Rassembler tous ces gens, c'est à la fois très nécessaire et très difficile. Il y a beaucoup d'obstacles. En fait, beaucoup de forces progressistes, de structures de résistance, à commencer par les syndicats, sont liées à l'État national. Et aussi bien les structures institution-nelles que les structures mentales. Les gens sont habitués à lutter au niveau national. La question est de savoir si les nouvelles structures de mobilisation transnationales parviendront à entraîner les structures traditionnelles, qui sont nationales. Ce qui est sûr, c'est que ce mouve-ment social doit s'appuyer sur l'État mais en changeant l'État, s'appuyer sur les syndicats mais en changeant les syndicats, au prix d'un travail énorme, et en grande par-tie intellectuel. Une des fonctions des chercheurs pour-rait être (idéalement) de jouer le rôle de conseillers en organisation du mouvement social en aidant les diffé-rents groupes à surmonter leurs différends.

Souple et permanente, cette coordination devrait se donner deux objectifs différents : d'une part, organiser, par des rencontres ad hoc et circonstancielles, des ensembles d'actions à court terme et orientées vers un objectif précis ; d'autre part, soumettre à la discussion des questions d'intérêt général et travailler à l'élaboration de programmes de recherche à plus long terme, dans des réunions périodiques de représentants de l'ensemble des groupes concernés. Il s'agirait en effet de découvrir et d'élaborer, à l'intersection des préoccupations de tous les groupes, des objectifs généraux auxquels tous puissent adhérer et collaborer en apportant leurs compétences et leurs méthodes propres. Il n'est pas interdit d'espérer que de la confrontation démocratique d'un ensemble d'indi-vidus et de groupes reconnaissant des présupposés com-muns puisse se dégager peu à peu un ensemble de réponses cohérentes et sensées à des questions fonda-mentales auxquelles ni les syndicats, ni les partis, ne peu-vent apporter de solution globale.

Un syndicalisme rénové

Un mouvement social européen n'est pas concevable sans la participation d'un syndicalisme rénové qui soit capable de surmonter les obstacles externes et internes à son renforcement et à son unification à l'échelle européenne. Il n'est qu'en apparence paradoxal de tenir le déclin du syndicalisme pour un effet indirect et différé de son triomphe : nombre des revendications qui avaient animé les luttes syndicales sont passées à l'état d'institutions qui, étant désormais au fondement d'obligations ou de droits (ceux qui touchent à la protection sociale par exemple), sont devenues des enjeux de luttes entre les syndicats eux-mêmes. Transformées en instances para-étatiques, souvent subventionnées par l'État, les bureaucraties syndicales participent à la redistribution de la richesse et garantissent le compromis social en évitant les ruptures et les affrontements. Et les responsables syndicaux, lorsqu'il arrive qu'ils se convertissent en gestionnaires éloignés des préoccupations de leurs mandants, peuvent être entraînés par la logique de la concurrence entre les appareils ou à l'intérieur des appareils, à défendre leurs intérêts propres plutôt que les intérêts de ceux qu'ils sont censés défendre. Ce qui n'a pas pu ne pas contribuer pour une part à éloigner les salariés des syndicats et à écarter les syndiqués eux-mêmes de la participation active à l'organisation.

Mais ces causes internes ne sont pas seules à expliquer que les syndiqués soient toujours moins nombreux et moins actifs. La politique néo-libérale contribue aussi à l'affaiblissement des syndicats. La flexibilité et surtout la précarité d'un nombre croissant de salariés, et la transformation des conditions et des normes de travail qui en résulte, contribuent à rendre difficile toute action unitaire et même le simple travail d'information cependant que les vestiges de l'assistance sociale continuent à protéger une fraction des salariés. C'est dire combien est à la fois indispensable et difficile la rénovation de l'action syndicale qui supposerait la rotation des charges et la mise en question du modèle de la délégation inconditionnelle en même temps que l'invention des techniques nouvelles qui sont indispensables pour mobiliser des travailleurs fragmentés et précaires.

L'organisation d'un type tout à fait nouveau qu'il s'agit de créer doit être capable de surmonter la fragmentation par objectifs et par nations, ainsi que la division en mouvements et en syndicats, en échappant à la fois aux risques de monopolisation (ou, plus précisément, aux tentations et aux tentatives d'appropriation) qui hantent l'ensemble des mouvements sociaux, syndicalistes ou autres, et à l'immobilisme que crée souvent la crainte quasi névrotique de ces risques. L'existence d'un réseau international stable et efficace de syndicats et de mouvements, dynamisés par leur confrontation dans des instances de concertation et de discussion telles que les *États généraux du mouvement social européen*, devrait permettre de développer une action revendicative internationale, qui n'aurait plus rien à voir avec celle des organismes officiels dans lesquels sont représentés certains syndicats (comme la Confédération européenne des syndicats) et qui intégrerait les actions de tous les mouvements sans cesse affrontés à des situations spécifiques et par là limitées.

ASSOCIER LES CHERCHEURS ET LES MILITANTS

Le travail qui est nécessaire pour surmonter les divisions des mouvements sociaux et pour rassembler ainsi toutes les forces disponibles contre des forces dominantes elles-mêmes consciemment et méthodiquement concertées doit aussi s'exercer contre une autre division tout aussi funeste, celle qui sépare les chercheurs et les militants. Dans un état du rapport de forces économique et politique où les pouvoirs économiques sont en mesure de mettre à leur service des ressources scientifiques, techniques et culturelles sans précédent, le travail des chercheurs est indispensable pour découvrir et démonter les stratégies élaborées et mises en œuvre par les grandes entreprises multinationales et les organismes internationaux qui, comme l'OMC, produisent et imposent des régulations à prétention universelle capables de donner réalité, peu à peu, à l'utopie néolibérale de dérégulation généralisée. Les obstacles sociaux à un tel rapprochement ne sont pas moins grands que ceux qui se dressent entre les différents mouvements, ou entre les mouvements et les syndicats : différents par leur formation et leur trajectoire sociale, les chercheurs engagés dans un travail militant et les militants investis dans une entreprise de recherche doivent apprendre à travailler ensemble en surmontant toutes les préventions négatives qu'ils peuvent avoir les uns à l'égard des autres et en s'arrachant aux routines et aux présupposés associés à l'appartenance à des univers soumis à des lois et des logiques différentes, cela grâce à l'instauration de modes de communication et de débat d'un type nouveau. C'est une des conditions pour que puisse s'inventer collectivement, dans et par la confrontation critique des expériences et des compétences, un ensemble de réponses qui devront leur force politique au fait qu'elles seront à la fois systématiques et enracinées dans des aspirations et des convictions communes.

Seul un Mouvement social européen fort de toutes les forces accumulées dans les différentes organisations des différents pays et des instruments d'information et de critique élaborés en commun dans des lieux spécifiques d'information et de discussion comme les États généraux sera capable de résister aux forces à la fois économiques et intellectuelles des grandes entreprises internationales et de leurs armées de consultants, d'experts et de juristes rassemblés dans leurs agences de communication, leurs bureaux d'études et leurs conseils en *lobbying*. Capable aussi de substituer aux fins cyniquement imposées par des instances orientées par la recherche du profit maximum à court terme, les objectifs économiquement et politiquement démocratiques d'un État social européen, doté des instruments politiques, juridiques et financiers nécessaires pour juguler la force brute et brutale des intérêts étroitement économiques. L'Appel pour des *États généraux du mouvement social européen* (voir site Internet : www.samizdat.net/mse) s'inscrit dans cette perspective. Il ne vise aucunement à représenter l'ensemble du mouvement social européen, moins encore à le monopoliser, selon les plus belles traditions du « centralisme démocratique », chères aux demi-soldes du soviétisme, mais il veut contribuer pratiquement à le faire exister en travaillant sans cesse à un rassemblement des forces sociales de résistance à la mesure des forces économiques et culturelles qui sont aujourd'hui mobilisées au service de la politique de « mondialisation ».

Paris, juillet 2000

L'EUROPE AMBIGUË : RETOUR SUR LE CHOIX
D'UNE ACTION AU NIVEAU EUROPÉEN[14]

L'Europe est foncièrement ambiguë, d'une ambiguïté qui tend à se dissiper lorsqu'on la considère dans une perspective dynamique : il y a d'une part une Europe autonome à l'égard des puissances économiques et politiques dominantes et capable, à ce titre, de jouer un rôle politique à l'échelle mondiale ; il y a d'autre part l'Europe liée par une sorte d'union douanière avec les États-Unis et vouée, de ce fait, à un destin analogue à celui du Canada, c'est-à-dire à être progressivement dépossédée de toute indépendance économique et culturelle à l'égard de la puissance dominante. En fait, l'Europe vraiment européenne fonctionne comme un *leurre* dissimulant l'Europe euro-américaine qui se profile et qu'elle facilite en obtenant l'adhésion de ceux qui en attendent l'inverse exact de ce qu'elle fait et de ce qu'elle est en train de devenir.

Tout permet de penser que, sauf rupture tout à fait improbable, les tendances qui orientent l'Europe vers la soumission aux pouvoirs transatlantiques (symbolisés et matérialisés par le Transatlantic Business Dialogue, organisation regroupant les 150 plus grandes entreprises européennes et américaines qui travaille à abolir les barrières au commerce mondial et aux investissements), doivent triompher : en effet, du fait qu'ils concentrent au plus haut degré toutes les espèces de capital, les États-Unis sont en mesure de dominer le champ mondial de l'économie. Et cela grâce notamment à des

---

14 – Ce passage reprend les grandes lignes d'une intervention présentée à Vienne en novembre 2000.

mécanismes juridico-politiques tels que l'Accord genéral sur le commerce des services (AGCS), ensemble de réglementations évolutives qui visent à limiter les obstacles à la libre « circulation » et de textes qui, produits dans le plus grand secret, délibérément obscurs et édictant des mesures à « effet retard », pareilles à des virus informatiques détruisant les systèmes de défense juridiques, préparent l'avènement d'une sorte de *gouvernement mondial invisible* au service des puissances économiques dominantes (c'est-à-dire l'opposé exact de l'idée kantienne d'État universel).

Contrairement à l'idée répandue que la politique de « mondialisation » tend à favoriser leur dépérissement, les États continuent en fait à jouer un rôle déterminant au service de la politique qui les affaiblit. Il est remarquable que les politiques visant à déposséder les États au profit des marchés financiers ont été édictées par des États et, qui plus est, des États gouvernés par des socialistes. Ce qui signifie que les États, et tout spécialement ceux qui sont gouvernés par des socio-démocrates, contribuent au triomphe du néo-libéralisme non seulement en travaillant à la destruction de l'État social (c'est-à-dire notamment des droits des travailleurs et des femmes), mais aussi en cachant les pouvoirs qu'ils relaient. Mais ils ont aussi une fonction de leurre : ils attirent l'attention des citoyens vers des cibles fictives (les débats strictement nationaux dont le prototype est tout ce qui tourne en France autour de la cohabitation), maintenues à l'existence par tout un ensemble de facteurs, comme l'absence d'espace public européen, le caractère strictement national des structures politiques, syndicales et médiatiques (il faudrait montrer comment le souci de vendre de la copie incline les journaux à contribuer toujours davantage à l'enfermement dans la politique nationale – et souvent la plus strictement politicienne –, qui reste profondément enracinée dans les structures institutionnelles, familles, églises, écoles ou syndicats).

Tout cela fait que la politique ne cesse de s'éloigner des simples citoyens, passant du national (ou du local) à l'international, du concret immédiat à l'abstrait lointain, du visible à l'invisible. Et que les actions individuelles ou, pour parler comme Sartre, sérielles, invoquées par ceux qui n'ont à la bouche que la démocratie et le « contrôle citoyen » sont de peu de poids et d'efficacité en face des puissances économiques dominantes et des lobbies qu'elles mettent à leur service. Il en résulte qu'une des questions les plus importantes et les plus difficiles est de savoir à quel niveau il convient de porter l'action politique : au niveau local, ou national, ou européen, ou mondial ? En fait, les impératifs scientifiques s'accordent avec les impératifs politiques pour imposer de remonter dans la chaîne des causes jusqu'à la cause la plus générale, c'est-à-dire jusqu'au lieu, le plus souvent mondial aujourd'hui, où se situent les facteurs fondamentaux du phénomène concerné, donc le véritable point d'application de l'action destinée à le modifier réellement. Ainsi par exemple, s'agissant de l'émigration, il ne fait pas de doute qu'au niveau national, on ne peut saisir que des facteurs, comme la politique de l'État national, qui, outre qu'ils fluctuent en fonction des intérêts des dominants, laissent échapper l'essentiel, c'est-à-dire les effets de la politique néo-libérale, ou, plus précisément, des politiques dites d'ajustement structurel, des privatisations notamment : celles-ci ont pour conséquence, en beaucoup de pays, un effondrement de

l'économie et, par là, des licenciements massifs, favorisant un vaste mouvement d'émigration forcée et la
constitution d'une *armée de réserve mondiale*, qui pèse
de tout son poids (comme les sans papiers clandestins)
sur la main d'œuvre nationale, elle-même précarisée,
et sur ses revendications salariales. Cela au moment
où les instances dominantes expriment sans fard (dans
les textes de l'OMC notamment) la nostalgie d'une émigration à l'ancienne, c'est-à-dire faite de travailleurs
jetables, temporaires, célibataires, sans famille et sans
protection sociale (comme les sans papiers), destinés à
offrir aux cadres surmenés de l'économie dominante les
services à bon marché (pour une bonne part féminins)
dont ils ont besoin. Mais on pourrait faire une démonstration analogue à propos des femmes et des inégalités
dont elles sont victimes, et faire apparaître par exemple
que, dans la mesure où elles ont partie liée avec la main
gauche de l'État, à la fois pour leur travail (elles sont
particulièrement représentées dans la santé, l'éducation,
la culture) et pour les services dont elles ont particulièrement besoin dans l'état actuel de la division du travail
entre les sexes (crèches, hôpitaux, services sociaux, etc.),
elles sont les premières victimes du démantèlement de
l'État social (on pourrait en dire autant, soit dit en passant, des ethnies dominées, comme les Noirs aux États-
Unis qui, comme l'observe Loïc Wacquant, pâtissent
directement de la réduction des emplois publics, base de
la reproduction de la bourgeoisie noire dont la croissance après les *Civil Rights* avait reposé, pour l'essentiel,
sur des professions de fonctionnaires gouvernemen-
taux). Quant à l'action politique, si elle veut éviter de se
laisser prendre à des leurres et de se donner des alibis
dans des actions sans efficacité, elle doit aussi remonter

aux causes véritables, lieu de l'efficacité la plus réelle. Cela dit, les actions qui, comme celles de Seattle, se portent au niveau le plus élevé, c'est-à-dire contre les instances du gouvernement mondial invisible, sont plus difficiles à organiser et aussi plus éphémères, d'autant que, même si elles s'appuient sur des réseaux et des organisations, elles sont plutôt le fait d'une agrégation de forces individuelles.

C'est pourquoi il me paraît que, premièrement, c'est au niveau européen que peuvent et doivent se situer les actions qui entendent être efficaces et, deuxièmement, que ces actions, pour éviter de se limiter à des happenings, symboliquement efficaces, mais temporaires et discontinus, doivent se fonder sur une *concentration des forces sociales déjà concentrées*, c'est-à-dire sur un rassemblement des mouvements sociaux existants dans l'ensemble de l'Europe. Ces actions collectives menées grâce à la coordination de collectifs doivent, en s'appuyant sur un travail théorique visant à formuler des objectifs politiques et sociaux pour une vraie Europe sociale (comme le remplacement de la commission par un véritable exécutif responsable devant un Parlement élu au suffrage universel), travailler à constituer un contre-pouvoir crédible, c'est-à-dire un mouvement social européen (« unifié » ou « coordonné » ; d'où le singulier) capable de faire exister, par sa seule existence, un espace politique européen qui, à l'heure actuelle, n'existe pas.

Les grains de sable*

Si je dis que la culture est aujourd'hui en danger, qu'elle est menacée par l'empire de l'argent, et du commerce, et de l'esprit mercantile, aux multiples visages, audimat, enquêtes de marketing, attentes des annonceurs, chiffres de vente, liste de *best sellers*, on dira que j'exagère.

Si je dis que les politiques, qui signent des accords internationaux réduisant les œuvres culturelles au sort commun de produits sans qualités, justiciables des lois qui s'appliquent au maïs, aux bananes ou aux agrumes, contribuent, sans toujours le savoir, à l'abaissement de la culture et des esprits, on dira que j'exagère.

Si je dis que les éditeurs, les producteurs de films, les critiques, les diffuseurs, les responsables de chaînes de radio et de télévision, qui se plient avec empressement à la loi de la circulation commerciale, celle de la chasse aux *best-sellers* ou aux vedettes médiatiques et de la production et de la glorification des succès à court terme et à tout prix, mais aussi celle des échanges circulaires de concessions et de complaisances mondaines, si je dis que tous ceux-là collaborent avec les forces imbéciles du marché et participent à leur triomphe, on dira que j'exagère.

Et pourtant…

Si je rappelle maintenant que les chances d'arrêter cette machine infernale reposent sur tous ceux et celles qui, tenant quelque pouvoir sur les choses de culture, d'art et de littérature, peuvent, chacun à leur place et à

---

* *Télérama*, 2647, 4 octobre 2000, p. 159.

leur façon et, pour leur part, si minime soit-elle, jeter leur grain de sable dans le jeu bien huilé des complicités résignées, et si j'ajoute enfin que ceux et celles qui ont la chance de travailler à *Télérama* (pas nécessairement dans les positions les plus éminentes ou les plus visibles) seraient, par conviction et par tradition, parmi les mieux placés pour le faire, on dira peut-être, pour une fois, que je suis désespérément optimiste.

Et pourtant…

Paris, septembre 2000

La culture est en danger*

J'ai souvent mis en garde contre la tentation prophé-
tique et la prétention des spécialistes des sciences
sociales à annoncer, pour les dénoncer, les maux présents et à venir. Mais je me suis trouvé conduit par la
logique de mon travail à outrepasser les limites que je
m'étais assignées au nom d'une idée de l'objectivité qui
m'est apparue peu à peu comme une forme de censure.
C'est ainsi qu'aujourd'hui, devant les menaces qui
pèsent sur la culture, et qui sont ignorées du plus grand
nombre, mais aussi, bien souvent, des écrivains, des
artistes, et des savants eux-mêmes, pourtant les premiers
intéressés, je crois nécessaire de faire connaître aussi largement que possible ce qui me paraît être le point de
vue de la recherche la plus avancée sur les effets que les
processus dits de mondialisation peuvent avoir en
matière de culture.

L'AUTONOMIE MENACÉE

J'ai décrit et analysé (notamment dans mon livre intitulé *Les Règles de l'art*), le long processus d'autonomisa-
tion au terme duquel se sont constitués, dans un certain
nombre de pays occidentaux, ces microcosmes sociaux
que j'appelle des champs, champ littéraire, champ
scientifique ou champ artistique : j'ai montré que ces

* Communication au Forum international sur la littérature, Séoul,
The Daesan Foundation, 26-29 septembre 2000.

univers obéissent à des lois qui leur sont propres (c'est le sens étymologique du mot d'autonomie) et qui sont différentes de celles du monde social environnant, notamment sur le plan économique, le monde littéraire ou artistique étant par exemple très largement affranchi, au moins dans son secteur le plus autonome, de la loi de l'argent et de l'intérêt. J'ai aussi toujours insisté sur le fait que ce processus n'avait rien d'une sorte de développement linéaire et orienté de type hegelien et que les progrès vers l'autonomie pouvaient être interrompus, soudainement, comme on a pu le voir toutes les fois que se sont instaurés des régimes dictatoriaux, capables de déposséder les mondes artistiques de leurs conquêtes passées. Mais ce qui arrive aujourd'hui, dans l'ensemble du monde développé, aux univers de production artistique est quelque chose de tout à fait nouveau, et vraiment sans précédent : en effet l'indépendance, difficilement conquise, de la production et de la circulation culturelle à l'égard des nécessités de l'économie se trouve menacée, dans son principe même, par l'intrusion de la logique commerciale à tous les stades de la production et de la circulation des biens culturels.

Les prophètes du nouvel évangile néo-libéral professent qu'en matière de culture comme ailleurs, la logique du marché ne peut apporter que des bienfaits. Récusant la spécificité des biens culturels, soit de manière tacite, soit de manière explicite, comme à propos du livre, pour lequel ils refusent toute espèce de protection, ils affirment par exemple que les nouveautés technologiques et les innovations économiques qui les exploitent ne pourront qu'accroître la quantité et la qualité des biens culturels offerts, donc la satisfaction des consommateurs, à condition évidemment que tout ce que font circuler les nouveaux groupes de communication technologiquement et économiquement intégrés, c'est-à-dire aussi bien des messages télévisés que des livres, des films ou des jeux, globalement et indistinctement subsumé sous le nom d'information, soit tenu pour une marchandise quelconque, donc traité comme n'importe quel produit, et soumis à la loi du profit. Ainsi la profusion liée à la multiplication des chaînes de télévision thématiques numérisées devrait entraîner une « *explosion of media choices* » telle que toutes les demandes, tous les goûts seraient satisfaits ; la concurrence, en ce domaine comme ailleurs, devrait, par sa seule logique, et surtout en association avec le progrès technologique, favoriser la création ; la loi du profit serait, en ces matières aussi, démocratique, du fait qu'elle sanctionne les produits plébiscités par le plus grand nombre. Je pourrais assortir chacune de mes assertions de dizaines de références, et de citations, en définitive assez redondantes. Un seul exemple, condensant presque tout ce que je viens de dire, et emprunté à Jean-Marie Messier : « Des millions d'emplois ont été créés aux États-Unis grâce à la libéralisation complète des télécoms et aux technologies de la communication. Puisse la France s'en inspirer ! C'est la compétitivité de notre économie et les emplois de nos enfants qui sont en jeu. Nous devons sortir de notre frilosité et ouvrir grandes les vannes de la concurrence et de la créativité. »

Que valent ces arguments ? À la mythologie de la différenciation et de la diversification extraordinaire des produits, on peut opposer l'uniformisation de l'offre, tant à l'échelle nationale qu'à l'échelle internationale : la concurrence, loin de diversifier, homogénéise, la poursuite du public maximum conduisant les producteurs à rechercher des produits *omnibus, valables pour des publics de tous milieux et de tous pays,* parce que peu différenciés et différenciants, films hollywoodiens, *telenovelas,* feuilletons télévisés, *soap operas,* séries policières, musique commerciale, théâtre de boulevard ou de Broadway, *best sellers* directement produits pour le marché mondial, hebdomadaires tous publics. En outre, la concurrence ne cesse de régresser avec la concentration de l'appareil de production et surtout de diffusion : les multiples réseaux de communication tendent de plus en plus à diffuser, souvent à la même heure, le même type de produits issus de la recherche des profits maximaux pour des coûts minimaux. La concentration extraordinaire des groupes de communication aboutit, comme le montre la plus récente fusion, celle de Viacom et de CBS [15], c'est-à-dire d'un groupe orienté vers la production des contenus et d'un groupe orienté vers la diffusion, à une *intégration verticale telle que la diffusion commande la production,* imposant une véritable censure par l'argent. Le cumul des activités de production, d'exploitation et de diffusion entraîne des abus de position dominante favorisant les films maison : Gaumont, Pathé et UGC assurent eux-mêmes ou dans les salles de leur groupement de programmation la projection de 80 % des films d'exclusivité présents sur le marché parisien ; il faudrait évoquer aussi la prolifération des cinémas multiplexe, totalement soumis aux impératifs des diffuseurs, qui font une concurrence déloyale aux petites salles indépendantes, souvent condamnées à la fermeture.

---

15 – Ou, au moment où je relis ce texte pour la publication, la fusion, non moins terrifiante, du géant des médias, Time Warner, et du premier fournisseur mondial d'accès à Internet, America Online (AOL).

Mais l'essentiel est que les préoccupations commerciales, et la recherche du profit maximum *à court terme*, et « l'esthétique » qui en découle, s'imposent de plus en plus et de plus en plus largement à l'ensemble des productions culturelles. Les conséquences d'une telle politique sont très exactement les mêmes dans le domaine de l'édition, où l'on observe aussi une très forte concentration : aux États-Unis au moins, le commerce du livre, mis à part deux éditeurs indépendants, W. W. Norton et Houghton Mifflin, quelques presses universitaires, d'ailleurs de plus en plus soumises elles-mêmes aux contraintes commerciales, et quelques petits éditeurs combatifs, est aux mains de huit grandes corporations médiatiques géantes. La grande majorité des éditeurs doivent s'orienter sans équivoque vers le succès commercial, avec, entre autre effet, l'invasion des stars des médias parmi les auteurs et la censure par l'argent. Cela notamment lorsque, étant intégrés à de grands groupes multimédias, ils doivent dégager des taux de profit très élevés. (Je pourrais citer ici M. Thomas Middlehoff, PDG de Bertelsman qui, selon le journal *La Tribune*, « a donné deux ans aux 350 centres de profit pour […] assurer plus de 10 % de rentabilité sur le capital investi ».) Comment ne pas voir que la logique du profit, surtout à court-terme, est la négation stricte de la culture qui suppose des investissements à fonds perdus, voués à des retours incertains et bien souvent posthumes ?

Ce qui est en jeu c'est la perpétuation d'une production culturelle qui ne soit pas orientée vers des fins exclusivement commerciales et qui ne soit pas soumise aux verdicts de ceux qui dominent la production médiatique de masse, à travers notamment le pouvoir qu'ils détiennent sur les grands moyens de diffusion. En fait, une des difficultés du combat qu'il faut mener en ces matières, est qu'il peut avoir des apparences anti-démocratiques, dans la mesure où les productions de masse de la culture industrielle sont en quelque sorte *plébiscités* par le grand public, et en particulier par les jeunes de tous les pays du monde, à la fois parce qu'ils sont plus accessibles (la consommation de ces produits suppose moins de capital culturel) et parce qu'ils font l'objet d'une sorte de *snobisme paradoxal* : c'est la première fois en effet dans l'histoire que s'imposent comme *chics* les produits les plus *cheap* d'une culture populaire (d'une société économiquement et politiquement dominante) ; les adolescents de tous les pays qui portent des *baggy pants*, pantalons dont le fond tombe à mi-cuisse, ne savent sans doute pas que la mode vestimentaire qu'ils pensent à la fois ultra-chic et ultra-moderne a pris naissance dans les prisons des États-Unis, comme certain goût des tatouages ! C'est dire que la « civilisation » du *jean,* du coca-cola et du McDonald's a pour elle non seulement le pouvoir économique mais aussi le pouvoir symbolique qui s'exerce par l'intermédiaire d'une séduction à laquelle les victimes elles-mêmes contribuent. En faisant des enfants et des adolescents, surtout les plus dépourvus de systèmes de défense immunitaires spécifiques, les cibles privilégiées de leur politique commerciale, les grandes entreprises de production et de diffusion culturelle, et spécialement de cinéma, s'assurent, avec l'appui de la publicité et des médias, à la fois contraints et complices, une emprise extraordinaire, sans précédent, sur l'ensemble des sociétés contemporaines qui s'en trouvent comme infantilisées.

Quand, comme disait Gombrich, « les conditions écologiques de l'art » sont détruites, l'art ne tarde pas à mourir. La culture est menacée parce que les conditions économiques et sociales dans lesquelles elle peut se développer sont profondément affectées par la logique du profit dans les pays avancés où le capital accumulé, condition de l'autonomie, est déjà important, et, a fortiori dans les autres pays. Les microcosmes relativement autonomes à l'intérieur desquels se produit la culture doivent assurer, en liaison avec le système scolaire, la production des producteurs et des consommateurs. Les peintres ont mis près de cinq siècles pour conquérir les conditions sociales qui ont rendu possible un Picasso ; ils ont dû – on le sait par la lecture des contrats – lutter contre les commanditaires pour que leur œuvre cesse d'être traitée comme un simple produit, évalué à la surface peinte et au prix des couleurs employées ; il ont dû lutter pour obtenir le droit à la signature, c'est-à-dire le droit d'être traité comme des auteurs. Ils ont dû lutter pour le droit de choisir les couleurs qu'ils employaient, la manière de les employer et même, tout à la fin, notamment avec l'art abstrait, le sujet lui-même, sur lequel pesait particulièrement le pouvoir du commanditaire. D'autres, écrivains ou musiciens, ont dû se battre pour ce que l'on appelle, depuis une date assez récente, les droits d'auteur ; ils ont dû lutter pour la rareté, l'unicité, la qualité et il n'ont dû qu'à la collaboration des critiques, des biographes, des professeurs d'histoire de l'art, etc., de s'imposer comme artistes, comme « créateurs ». De même, on n'en finirait pas d'énumérer les conditions qui doivent être remplies pour qu'apparaissent des œuvres cinématographiques de recherche et un public pour les apprécier : soit, pour n'en dire que quelques unes, des revues spécialisées et des critiques pour les faire vivre, des petites salles et des cinémathèques projetant des films d'art et fréquentées par les étudiants, des ciné-clubs animés par des bénévoles cinéphiles, des cinéastes prêts à tout sacrifier pour faire des films sans succès immédiat, des critiques avertis, des producteurs assez informés et cultivés pour les financer, bref tout ce microcosme social à l'intérieur duquel le cinéma d'avant-garde est reconnu, a de la valeur, et qui est aujourd'hui menacé par l'irruption du cinéma commercial et surtout par la domination des grands diffuseurs, avec lesquels les producteurs, lorsqu'ils ne sont pas eux-mêmes diffuseurs, doivent compter. Or c'est tout cela qui se trouve menacé aujourd'hui à travers la réduction de l'œuvre à un produit et à une marchandise. Les luttes actuelles des cinéastes pour le *final cut* et contre la prétention du producteur à détenir le droit final sur l'œuvre, sont l'équivalent exact des luttes du peintre du Quattrocento.

Aboutissement d'un long processus d'*émergence*, d'évolution, ces univers autonomes sont aujourd'hui entrés dans un processus d'*involution* : ils sont le lieu d'un retour en arrière, d'une régression, de l'œuvre vers le produit, de l'auteur vers l'ingénieur ou le technicien mettant en jeu des ressources techniques qu'ils n'ont pas eux-mêmes inventées, comme les fameux effets spéciaux, ou les vedettes célèbres et célébrées par les magazines à grand tirage et propres à attirer le grand public, peu préparé à apprécier les recherches spécifiques, formelles notamment. Et surtout, ils doivent mettre ces moyens extrêmement coûteux au service de fins purement commerciales, c'est-à-dire les organiser, de manière quasi cynique, en vue de séduire le plus grand

nombre possible de spectateurs en donnant satisfaction
à leurs pulsions primaires, – que d'autres techniciens,
les spécialistes en marketing, essaient de prévoir. C'est
ainsi que l'on voit apparaître aussi, dans tous les univers
(on pourrait en trouver des exemples dans le domaine
du roman aussi bien que du cinéma et même en poésie
avec ce que Jacques Roubaud appelle la « poésie
muesli »), des productions culturelles en simili, qui peuvent aller jusqu'à mimer les recherches de l'avant-garde
tout en jouant des ressorts les plus traditionnels des productions commerciales et qui, du fait de leur ambiguïté,
peuvent tromper les critiques et les consommateurs à
prétentions modernistes grâce à un effet d'allodoxia.

Le choix n'est pas, on le voit, entre la « mondialisation » entendue comme la soumission aux lois du commerce, donc au règne du « commercial », qui est toujours et partout le contraire de ce que l'on entend par
culture, et la défense des cultures nationales ou telle
forme particulière de nationalisme culturel. Les produits kitsch de la « mondialisation » commerciale, celle
du film à grand spectacle et à effets spéciaux, ou encore
celle de la « world fiction », dont les auteurs peuvent
être italiens, indiens ou anglais aussi bien qu'américains,
s'opposent sous tous rapports aux produits de *l'internationale littéraire, artistique et cinématographique*, cercle
choisi dont le centre est partout et nulle part, même
s'il a été très longtemps situé à Paris. Comme Pascale
Casanova l'a montré dans *La République mondiale des
lettres*, l'« internationale dénationalisée des créateurs »,
les Joyce, Faulkner, Kafka, Beckett ou Gombrowicz,
produits purs de l'Irlande, des États-Unis, de la Tchéco-
slovaquie ou de la Pologne mais qui ont été faits à Paris,
ou les Kaurismaki, Manuel de Oliveira, Satyajit-Ray,

Kieslowsky, Kiarostami, et tant d'autres cinéastes contemporains de tous les pays, qu'ignore superbement l'esthétique d'Hollywood, n'aurait jamais pu exister et subsister sans une tradition internationale d'internationalisme artistique et, plus précisément, sans le microcosme de producteurs, de critiques et de récepteurs avertis qui est nécessaire à sa survie et qui, constitué depuis longtemps, a réussi à survivre, en quelques lieux épargnés par l'invasion commerciale[16].

POUR UN NOUVEL INTERNATIONALISME

Cette tradition d'internationalisme spécifique, proprement culturel, s'oppose radicalement, malgré les apparences, avec ce que l'on appelle la « *globalization* ». Ce mot, qui fonctionne comme un mot de passe et un mot d'ordre, est en effet le masque justificateur d'une politique visant à universaliser les intérêts particuliers et la tradition particulière des puissances économiquement et politiquement dominantes, notamment les États-Unis, et à étendre à l'ensemble du monde le modèle économique et culturel le plus favorable à ces puissances, en le présentant à la fois comme une norme, un devoir-être, et une fatalité, un destin universel, de manière à obtenir une adhésion ou, au moins, une résignation universelles. C'est-à-dire, en matière de culture, à universaliser, en les imposant à tout l'univers, les particularités d'une tradition culturelle dans laquelle la

---

16 – Je m'appuie ici sur les analyses de Pascale Casanova,
La République mondiale des lettres, Paris, Éd. du Seuil, 1999.

logique commerciale a connu son plein développement. (En fait, mais il serait long d'en faire la démonstration, la force de la logique commerciale tient au fait que, tout en présentant des airs de modernité progressiste, elle n'est que l'effet d'une forme radicale de laisser-faire, caractéristique d'un ordre social qui s'abandonne à la logique de l'intérêt et du désir immédiat convertis en sources de profit. Les champs de production culturelle qui ne se sont institués que très progressivement et au prix d'immenses sacrifices, sont profondément vulnérables en face des forces de la technologie alliées aux forces de l'économie ; en effet, ceux qui, au sein de chacun d'eux, peuvent, comme aujourd'hui les intellectuels médiatiques et autres producteurs de *best sellers*, se contenter de se plier aux exigences de la demande et d'en tirer les profits économiques ou symboliques, sont toujours, comme par définition, plus nombreux et plus influents temporellement que ceux qui travaillent sans la moindre concession à une forme quelconque de demande, c'est-à-dire pour un marché qui n'existe pas).

Ceux qui restent attachés à cette tradition d'internationalisme culturel, artistes, écrivains, chercheurs, mais aussi éditeurs, directeurs de galeries, critiques, de tous les pays, doivent aujourd'hui se mobiliser à un moment où les forces de l'économie, qui tendent par leur logique propre à soumettre la production et la diffusion culturelles à la loi du profit immédiat, trouvent un renfort considérable dans les politiques dites de libéralisation que les puissances économiquement et culturellement dominantes visent à imposer universellement sous couvert de « *globalization* ». Je dois ici évoquer, à mon corps défendant, des réalités triviales, qui n'ont pas normalement leur place dans une assemblée d'écrivains...

En sachant, de surcroît, que j'aurais sans doute l'air d'exagérer, – prophète de malheur –, tant sont énormes les menaces que les mesures néo-libérales font peser sur la culture. Je pense à l'Accord général du commerce des services (AGCS) auquel les différents États ont souscrit en adhérant à l'Organisation mondiale du commerce (OMC) et dont la mise en application est actuellement en cours de négociation. Il s'agit en effet, comme l'ont montré nombre d'analystes – notamment Lori Wallach, Agnès Bertrand et Raoul Jennar –, d'imposer aux 136 États membres l'ouverture de tous les services aux lois du libre échange, et de rendre ainsi possible la transformation en marchandises et en sources de profit de toutes les activités de service, y compris celles qui répondent à ces droits fondamentaux que sont l'éducation et la culture. C'en serait fini, on le voit, de la notion de service public et d'acquis sociaux aussi décisifs que l'accès de tous à l'éducation gratuite et à la culture au sens large du terme (la mesure est en effet censée s'appliquer aussi, à la faveur d'une remise en cause des classifications en vigueur, à des services comme l'audio-visuel, les bibliothèques, les archives et les musées, les jardins botaniques et zoologiques et tous les services liés au divertissement, arts, théâtre, radio et télévision, sports, etc.). Comment ne pas voir qu'un tel programme, qui entend traiter comme des « obstacles au commerce » les politiques nationales visant à sauvegarder les particularités culturelles nationales et propres, de ce fait, à constituer des entraves pour les industries culturelles transnationales, ne peut avoir pour effet que d'interdire à la plupart des pays, et en particulier, aux moins dotés en ressources économiques et culturelles, tout espoir d'un développement adapté aux particularités nationales et locales et respectueux des diversités, en matière culturelle comme dans tous les autres domaines. Cela notamment en leur enjoignant de soumettre toutes les mesures nationales, réglementations intérieures, subventions à des établissements ou à des institutions, licences, etc., aux verdicts d'une organisation qui tente de conférer les allures d'une norme universelle aux exigences des puissances économiques transnationales.

L'extraordinaire perversité de cette politique tient à deux effets qui se cumulent : d'abord, elle est protégée contre la critique et la contestation par le secret dont s'entourent ceux qui la produisent ; ensuite, elle est grosse d'effets, parfois voulus, qui sont inaperçus, au moment de sa mise en œuvre, de ceux qui auront à les subir, et qui n'apparaîtront qu'avec un retard plus ou moins long, empêchant les victimes de la dénoncer d'emblée (c'est le cas par exemple de toutes les politiques de minimisation des coûts dans le domaine de la santé).

Une telle politique, qui sait mettre au service des intérêts économiques les ressources intellectuelles que l'argent permet de mobiliser, comme les *think tanks* regroupant penseurs et chercheurs de service, journalistes et spécialistes des relations publiques, devrait susciter le refus unanime de tous les artistes, les écrivains et les savants les plus attachés à une recherche autonome, qui en sont les victimes désignées. Mais, outre qu'ils n'ont pas toujours les moyens d'accéder à la conscience et à la connaissance des mécanismes et des actions qui concourent à la destruction du monde auquel leur existence même est liée, ils sont peu préparés, du fait de leur attachement viscéral, et suprêmement justifié, à l'autonomie, notamment à l'égard de la politique, à s'engager sur le terrain de la politique, fût-ce pour défendre leur autonomie. Prêts à se mobiliser pour des causes universelles dont le paradigme est à tout jamais l'action de Zola en faveur de Dreyfus, ils sont moins disposés à s'engager dans des actions qui, ayant pour objet principal la défense de leurs intérêts les plus spécifiques, leur paraissent marqués d'une sorte de corporatisme égoïste. C'est oublier qu'en défendant les intérêts les plus directement liés à leur existence même (par des actions du type de celles que les cinéastes français ont menée contre l'AMI – Accord multilatéral sur les investissements), ils contribuent à la défense des valeurs les plus universelles qui, à travers eux, sont très directement menacées.

Les actions de ce type sont rares et difficiles : la mobilisation politique pour des causes dépassant les intérêts corporatifs d'une catégorie sociale particulière, camionneurs, infirmières, employés de banque ou cinéastes, a toujours demandé beaucoup d'efforts et beaucoup de temps, beaucoup d'héroïsme parfois. Les « cibles » d'une mobilisation politique sont aujourd'hui extrêmement abstraites et très éloignées de l'expérience quotidienne des citoyens, même cultivés : les grandes firmes multinationales et leurs conseils d'administrations internationaux, les grandes organisations internationales, OMC, FMI et Banque mondiale aux multiples subdivisions désignées par des sigles et des acronymes compliqués et souvent imprononçables, et toutes les réalités correspondantes, commissions et comités de technocrates non élus, peu connus du grand public, constituent un véritable gouvernement mondial invisible, inaperçu et inconnu en tout cas du plus grand nombre,

dont le pouvoir s'exerce sur les gouvernements nationaux eux-mêmes. Cette sorte de *Big Brother*, qui s'est
doté de fichiers interconnectés sur toutes les institutions
économiques et culturelles, est déjà là, agissant, efficient, décidant de ce que nous pourrons manger ou ne
pas manger, lire ou ne pas lire, voir ou ne pas voir à la
télévision ou au cinéma, et ainsi de suite, alors que
nombre de penseurs parmi les plus éclairés en sont
encore à croire que ce qui se passe aujourd'hui rejoint
les spéculations scolastiques sur des projets d'État universel à la manière des philosophes du XVIIIe siècle.

A travers le pouvoir presque absolu qu'ils détiennent
sur les grands groupes de communication, c'est-à-dire
sur l'ensemble des instruments de production et de
diffusion des biens culturels, les nouveaux maîtres du
monde tendent à concentrer tous les pouvoirs, économiques, culturels et symboliques qui, dans la plupart
des sociétés, étaient restés distincts, voire opposés, et ils
sont ainsi en mesure d'imposer très largement une
vision du monde conforme à leurs intérêts. Bien qu'ils
n'en soient pas à proprement parler les producteurs
directs, et que les expressions qu'ils en donnent dans les
déclarations publiques de leurs dirigeants ne soient pas
parmi les plus originales ou les plus subtiles, les grands
groupes de communication contribuent pour une part
décisive à la circulation quasi universelle de la doxa
envahissante et insinuante du néo-libéralisme, dont il
faudrait analyser en détail la *rhétorique* : les monstres
logiques tels que les *constats normatifs* (comme : « l'économie se mondialise, il faut mondialiser notre économie » ; « les choses changent très vite, il faut changer »),
les « déductions » sauvages, aussi péremptoires qu'abu-
sives (« si le capitalisme l'emporte partout, c'est qu'il est

inscrit dans la nature profonde de l'homme »), les thèses
infalsifiables (« C'est en créant de la richesse que l'on
crée de l'emploi », « trop d'impôt tue l'impôt », formule
qui, pour les plus instruits, peut se recommander de la
fameuse courbe de Laffer, dont un autre économiste,
Roger Guesnerie, a démontré, – mais qui le sait ? –,
qu'elle est indémontrable…), les évidences si indiscutables que c'est le fait de les discuter qui paraît discu-
table (« L'État-providence et la sécurité de l'emploi
appartiennent au passé » ; et « Comment peut-on
défendre encore le principe d'un service public ? »), les
paralogismes souvent tératologiques (du type « davantage de marché, c'est davantage d'égalité » ou « l'égalitarisme condamne des milliers de personnes à la
misère »), les euphémismes technocratiques (« restructu-
rer les entreprises » pour dire licencier), et tant de
notions ou de locutions toutes faites, sémantiquement à
peu près indéterminées, banalisées et polies par l'usure
d'un long usage automatique, qui fonctionnent comme
des formules magiques, inlassablement répétées pour
leur valeur incantatoire (« dérégulation », « chômage
volontaire », « liberté des échanges », « libre circulation
des capitaux », « compétitivité », « créativité », « révolution technologique », « croissance économique », « combattre l'inflation », « réduire la dette de l'État », « abaisser
les coûts du travail », « réduire les dépenses sociales »).
Imposée par un effet d'*enveloppement continu*, cette
doxa finit par se présenter avec la force tranquille de ce
qui va de soi. Ceux qui entreprennent de la combattre
ne peuvent compter, au sein même des champs de production culturelle, ni sur un journalisme structurellement solidaire (ce qui n'exclut pas des exceptions) des
productions et des producteurs les plus directement

orientés vers la satisfaction directe du public le plus vaste, ni davantage sur les « intellectuels médiatiques », qui, soucieux avant tout de succès temporels, doivent leur existence à leur soumission aux attentes du marché, et qui peuvent, dans certains cas extrêmes, mais aussi particulièrement révélateurs, vendre sur le terrain du commercial l'imitation ou la simulation de l'avant-garde qui s'est construite contre lui. C'est dire que la position des producteurs culturels les plus autonomes, peu à peu dépossédés de leurs moyens de production et surtout de diffusion, n'a sans doute jamais été aussi menacée et aussi faible, mais jamais aussi rare, utile et précieuse.

Bizarrement, les producteurs les plus « purs », les plus gratuits, les plus « formels », se trouvent ainsi placés aujourd'hui, souvent sans le savoir, à l'avant-garde de la lutte pour la défense des valeurs les plus hautes de l'humanité. En défendant leur singularité, ils défendent les valeurs les plus universelles.

Séoul, septembre 2000

Unifier pour mieux dominer*

Historiquement, le champ économique s'est construit dans le cadre de l'État national avec lequel il a partie liée. L'État contribue en effet de mainte façon à l'unification de l'espace économique (qui contribue en retour à l'émergence de l'État). Comme le montre Polanyi dans *The Great Transformation,* l'émergence des marchés nationaux n'est pas le produit mécanique de l'extension graduelle des échanges, mais l'effet d'une politique d'État délibérément mercantiliste visant à accroître le commerce extérieur et intérieur (notamment en favorisant la commercialisation de la terre, de l'argent et du travail). Mais, l'unification et l'intégration, loin d'entraîner, comme on pourrait le croire, un processus d'homogénéisation, s'accompagnent d'une concentration du pouvoir, qui peut aller jusqu'à la monopolisation, et du même coup, de la dépossession d'une partie de la population ainsi intégrée. C'est dire que l'intégration à l'État et au territoire qu'il contrôle est en fait la condition de la domination (comme cela se voit bien dans toutes les situations de colonisation). En effet, comme j'ai pu l'observer en Algérie, l'unification du champ économique tend, notamment à travers l'unification monétaire et la généralisation des échanges monétaires qui s'ensuit, à jeter tous les agents sociaux dans un jeu économique pour lequel ils ne sont pas également préparés et équipés, culturellement et économiquement ; elle tend du même coup à les soumettre à la

* Conférence à l'Université Keisen, Tokyo, 3 octobre 2000.

norme objectivement imposée par la concurrence de forces productives et de modes de production plus efficients, comme on le voit bien avec les petits producteurs ruraux de plus en plus complètement arrachés à l'autarcie. Bref, *l'unification profite aux dominants*, dont la différence est constituée en capital par le seul fait de la mise en relation. (C'est ainsi que, pour prendre un exemple récent, Roosevelt a dû, dans les années 30, établir des règles sociales communes en matière de travail – comme le salaire minimum, la limitation du temps de travail, etc. – pour éviter la dégradation des salaires et des conditions de travail consécutive à l'intégration dans un même ensemble national de régions inégalement développées).

Mais par ailleurs, le processus d'unification (et de concentration) restait circonscrit aux frontières nationales : il était limité par toutes les barrières, notamment juridiques, à la libre circulation des biens et des personnes (droits de douane, contrôle des changes, etc.) ; limité aussi par le fait que la production et surtout la circulation des biens restaient étroitement liées à des lieux géographiques (en raison notamment des coûts de transport). Ce sont ces limites à la fois techniques et juridiques à l'extension des champs économiques qui tendent aujourd'hui à s'affaiblir ou à disparaître sous l'effet de différents facteurs : d'une part des facteurs purement techniques, comme le développement de nouveaux moyens de communication tels que le transport aérien ou l'Internet ; d'autre part des facteurs plus proprement politiques, ou juridico-politiques, comme la libéralisation et la déréglementation. Ainsi se trouve favorisée la formation d'un *champ économique mondial*, notamment dans le domaine financier (où les moyens

de communication informatiques tendent à faire disparaître *les écarts temporels* qui séparaient les différents
marchés nationaux).

LE DOUBLE SENS DE LA « *GLOBALIZATION* »

Il faut ici revenir au mot de « *globalization* » (ou, en
français, de mondialisation) : on a vu qu'il pourrait, en
un sens rigoureux, désigner l'unification du champ économique mondial ou l'extension de ce champ à l'échelle
du monde. Mais on lui fait aussi signifier tout à fait
autre chose, passant subrepticement du sens descriptif
du concept tel que je viens de le formuler, à un sens
normatif ou mieux, performatif : la « *globalization* »
désigne alors une *politique économique* visant à unifier
le champ économique par tout un ensemble de mesures
juridico-politiques destinées à abattre toutes les limites
à cette unification, tous les obstacles, pour la plupart
liés à l'État-nation, à cette extension. Ce qui définit, très
précisément, la politique néo-libérale inséparable de la
véritable propagande économique qui lui confère une
part de sa force symbolique en jouant de l'ambiguïté de
la notion.

La « *globalization* » économique n'est pas un effet
mécanique des lois de la technique ou de l'économie,
mais le produit d'une politique mise en œuvre par un
ensemble d'agents et d'institutions et le résultat de
l'application de règles délibérément créées à des fins
spécifiques, à savoir la libéralisation du commerce *(trade
liberalization)*, c'est-à-dire l'élimination de toutes
les régulations nationales qui freinent les entreprises
et leurs investissements. Autrement dit, le « marché

mondial » est *une création politique* (comme l'avait été le marché national), le produit d'une politique plus ou moins consciemment concertée. Et cette politique, comme à son échelle celle qui avait conduit à la naissance des marchés nationaux, a pour effet (et peut-être aussi pour *fin*, au moins chez les plus lucides et les plus cyniques des défenseurs du néo-libéralisme), de créer les conditions de la domination en confrontant brutalement des agents et des entreprises jusque là enfermés dans les limites nationales à la concurrence de forces productives et de modes de production plus efficients et plus puissants. Ainsi, dans les économies émergentes, la disparition des protections voue à la ruine les entreprises nationales et, pour des pays comme la Corée du sud, la Thaïlande, l'Indonésie ou le Brésil, la suppression de tous les obstacles à l'investissement étranger entraîne l'effondrement des entreprises locales, rachetées, souvent pour des prix dérisoires par les multinationales. Pour ces pays, les marchés publics restent une des seules méthodes permettant aux compagnies locales de concurrencer les grandes entreprises du nord. Alors qu'elles sont présentées comme nécessaires à la création d'un « champ d'action global », les directives de l'OMC sur les politiques de concurrence et de marché public auraient pour effet, en instaurant une concurrence « à armes égales » entre les grandes multinationales et les petits producteurs nationaux, d'entraîner la disparition massive de ces derniers. On sait que, de façon générale, l'égalité formelle dans l'inégalité réelle est favorable aux dominants.

Le mot de « *globalization* » est, on le voit, un *pseudo-concept à la fois descriptif et prescriptif* qui a pris la place du mot de « modernisation », longtemps utilisé par les sciences sociales américaines comme une manière euphémistique d'imposer un modèle évolutionniste naïvement ethnocentrique qui permet de classer les différentes sociétés selon leur distance à la société économiquement la plus avancée, c'est-à-dire la société américaine, instituée en terme et en but de toute l'histoire humaine (c'est le cas par exemple lorsque l'on prend pour critère du degré d'évolution une des propriétés typiques, mais apparemment neutre et indiscutable, de cette société, comme la consommation d'énergie par tête d'habitant, selon le modèle critiqué par Lévi-Strauss dans *Race et Histoire*). Ce mot (et le modèle qu'il exprime) incarne la forme la plus accomplie de *l'impérialisme de l'universel*, celle qui consiste, pour une société, à universaliser sa propre particularité en l'instituant tacitement en modèle universel (comme le fit longtemps la société française, en tant qu'incarnation supposée des droits de l'homme et de l'héritage de la Révolution française, posée en modèle, notamment à travers la tradition marxiste, de toute révolution possible).

Ainsi, à travers ce mot, c'est le processus d'unification du champ mondial de l'économie et de la finance, c'est-à-dire l'intégration d'univers économiques nationaux jusque-là cloisonnés, et désormais organisés sur le modèle d'une économie enracinée dans les particularités historiques d'une tradition sociale particulière, celle de la société américaine, qui se trouve institué à la fois en destin inévitable et en projet politique de libération universelle, en fin d'une *évolution naturelle*, et en en idéal civique et éthique qui, au nom du lien postulé entre la démocratie et le marché, promet une émancipation politique aux peuples de tous les pays. La forme la plus accomplie de ce *capitalisme utopique* est sans doute le mythe de la « démocratie des actionnaires », c'est-à-dire d'un univers de salariés qui, rémunérés en actions, deviendraient collectivement « propriétaires de leurs entreprises », réalisant l'association parfaitement réussie du capital et du travail : et l'ethnocentrisme triomphant des théories de la « modernisation » atteint des hauteurs sublimes avec les prophètes les plus inspirés de la nouvelle religion économique qui voient dans les États-Unis la nouvelle patrie du « socialisme réalisé » (on voit en passant que certaine folie scientiste qui triomphe aujourd'hui du côté de Chicago ne le cède en rien aux délires les plus exaltés du « socialisme scientifique » qui s'était développé, en d'autres temps et d'autres lieux, avec les conséquences que l'on sait).

Il faudrait s'arrêter ici pour démontrer premièrement que ce qui est proposé et imposé de manière universelle comme la norme de toute pratique économique rationnelle est en réalité l'universalisation des caractéristiques particulières d'une économie immergée dans une histoire et une structure sociale particulière, celles des États-Unis [17] ; et que, du même coup, les États-Unis sont, par définition, la forme réalisée d'un idéal politique et économique qui est, pour l'essentiel, le produit de l'idéalisation de leur propre modèle économique et social, caractérisé notamment par la faiblesse de l'État. Mais il faudrait aussi démontrer, dans un second temps, que les États-Unis occupent dans le champ économique mondial une position dominante qu'ils doivent au fait qu'ils concentrent un ensemble exceptionnel d'avantages

17 – Voir ci-dessus (p. 25-31) « L'imposition du modèle américain et ses effets ».

compétitifs : *avantages financiers,* avec la position exceptionnelle du dollar qui leur permet de drainer dans
l'ensemble du monde (c'est-à-dire de pays à forte
épargne comme le Japon mais aussi d'oligarchies de pays
pauvres ou de réseaux de trafic mondiaux) les capitaux
nécessaires pour financer leur énorme déficit et compen-
ser un taux d'épargne et d'investissement très bas et qui
leur assure la possibilité de mettre en œuvre la politique
monétaire de leur choix sans s'inquiéter des répercus-
sions sur les autres pays, notamment les plus pauvres,
qui sont objectivement enchaînés aux décisions économiques américaines et qui ont contribué à la croissance
américaine non seulement du fait des coûts peu élevés
en devises de leur travail et de leurs produits – notamment les matières premières –, mais aussi du fait des pré-
lèvements qu'ils ont subis et dont les banques et la
Bourse américaines ont bénéficié ; *avantages économiques,*
avec la force et la compétitivité du secteur des biens de
capital et d'investissement, et en particulier de la micro-
électronique industrielle, ou le rôle de la banque dans le
financement privé de l'innovation ; *avantages politiques et
militaires,* avec leur poids diplomatique qui leur permet
d'imposer des normes économiques et commerciales
favorables à leurs intérêts ; *avantages culturels et linguistiques,* avec la qualité exceptionnelle du système public et
privé de recherche scientifique (mesurable au nombre de
prix Nobel), la puissance des *lawyers* et des grandes *law
firms,* et enfin, l'universalité pratique de l'anglais qui
domine les télécommunications et toute la production
culturelle commerciale ; *avantages symboliques,* avec
l'imposition d'un style de vie quasi universellement
reconnu, au moins par les adolescents, notamment à travers la production et la diffusion de représentations du

monde, cinématographiques notamment, auxquelles est associée une image de modernité. (On voit en passant que la supériorité de l'économie américaine – qui, d'ailleurs, s'éloigne de plus en plus du modèle de la concurrence parfaite au nom de laquelle on essaie de l'imposer – *tient à des effets structuraux et non à l'efficacité particulière d'une politique économique,* – même si n'ont pas compté pour rien l'effet de l'intensification du travail et de l'allongement de la durée du travail jointe aux très faibles salaires pour les moins qualifiés et aussi le rôle d'une nouvelle économie à dominante techno-scientifique).

Une des manifestations les plus indiscutables des rapports de force qui s'établissent au sein du champ économique mondial est sans doute la dissymétrie et la logique du *double standard* (deux poids deux mesures) qui fait par exemple que les dominants, et en particulier les États-Unis, peuvent recourir au protectionnisme et aux subventions qu'ils interdisent aux pays en voie de développement (empêchés par exemple de limiter les importations d'un produit causant de graves dommages pour leur industrie ou de réguler les investissements étrangers). Et il faut beaucoup de bonne volonté pour croire que la sollicitude pour les droits sociaux des pays du Sud (ou, par exemple, l'interdiction du travail des enfants) est exempte de tout motif protectionniste lorsque l'on sait qu'elle est le fait de pays qui, comme les États-Unis, sont engagés dans des entreprises de dérégulation, de flexibilisation, de limitation des salaires et des droits syndicaux. Et la politique de « *globalization* » est sans doute en elle-même la meilleure illustration de celle dissymétrie, puisqu'elle vise à étendre à l'ensemble du monde, mais sans réciprocité, à sens unique (c'est-à-

dire en association avec un isolationnisme et un parti-
cularisme) le modèle le plus favorable aux dominants.

L'unification du champ économique mondial par
l'imposition du règne absolu du libre-échange, de la
libre circulation du capital et de la croissance orientée
vers l'exportation présente la même ambiguïté que
l'intégration au champ économique national en d'autres
temps : tout en donnant toutes les apparences d'un universalisme sans limites, d'une sorte d'œcuménisme qui
trouve ses justifications dans la diffusion universelle des
styles de vie *cheap* de la « civilisation » du McDonald's,
du *jean* et du coca-cola, ou dans l'« homogénéisation
juridique », souvent tenue pour un indice de « *globalization* » positif, ce « projet de société » sert les dominants, c'est-à-dire les grands investisseurs qui, tout en se
situant au-dessus des États, peuvent compter sur les
grands États, et en particulier le plus puissant d'entre
eux politiquement et militairement, les États-Unis, et
sur les grandes institutions internationales, Banque
mondiale, Fonds monétaire international, Organisation mondiale du commerce, qu'ils contrôlent, pour
assurer les conditions favorables à la conduite de leurs
activités économiques. *L'effet de domination lié à l'intégration dans l'inégalité* se voit bien dans le destin du
Canada (qui pourrait bien être celui de l'Europe si elle
s'oriente vers une sorte d'union douanière avec les
États-Unis) : du fait de l'abaissement des protections
traditionnelles qui l'a laissé sans défense, notamment
en matière de culture, ce pays est en train de subir une
véritable intégration économique et culturelle à la puissance américaine.

Comme les anciens États nationaux, les forces économiques dominantes sont en effet en mesure de mettre à

leur service le droit (international) et les grands organismes internationaux, livrés à l'action de lobbies.
Ceux-ci travaillent à habiller de justifications juridiques
les intérêts économiques des entreprises ou des nations
(par exemple en garantissant aux investisseurs indus-
triels le maximum de protection et de droits) ; et ils
consacrent une part très importante de leur énergie
intellectuelle à défaire les droits nationaux, comme par
exemple les lois et les règlements qui assurent la protection des consommateurs. Les instances internationales,
sans remplir toutes les fonctions ordinairement impar-
ties aux États nationaux (comme celles qui touchent à
la protection sociale), gouvernent de manière invisible
les gouvernements nationaux qui, de plus en plus
réduits à la gestion des affaires secondaires, constituent
un écran d'illusion politique propre à masquer les vrais
lieux de décision. Elles viennent renforcer sur le plan
symbolique l'action quasi mécanique de la compétition
économique qui impose aux États nationaux de jouer le
jeu de la concurrence sur le terrain de la fiscalité (en
accordant des exonérations) ou des avantages compétitifs (en offrant des infrastructures gratuites).

L'ÉTAT DU CHAMP ÉCONOMIQUE MONDIAL

Le champ mondial se présente comme un ensemble
de sous-champs mondiaux dont chacun correspond à
une « *industry* » entendue comme un ensemble d'entreprises en concurrence pour la production et la commercialisation d'une catégorie homogène de produits. La
structure, presque toujours oligopolistique, de chacun
de ces sous-champs correspond à la structure de la

distribution du capital (sous ses différentes espèces) entre les différentes firmes capables d'acquérir et de conserver un statut de concurrent efficient au niveau mondial, la position d'une firme dans chaque pays dépendant de la position de cette firme dans tous les autres pays. Le champ mondial est fortement polarisé. Les économies nationales dominantes tendent, du seul fait de leur poids dans la structure (qui fonctionne comme barrière à l'entrée), à concentrer les actifs des entreprises et à s'approprier les profits qu'elles produisent, ainsi qu'à orienter les tendances immanentes au fonctionnement du champ. La position de chaque firme dans le champ national et international dépend en effet non seulement de ses avantages propres, mais aussi des avantages économiques, politiques, culturels et linguistiques qui découlent de son appartenance nationale, cette sorte de « capital national » exerçant un effet multiplicateur, positif ou négatif, sur la compétitivité structurelle des différentes firmes.

Ces différents champs sont aujourd'hui structuralement soumis au champ financier mondial. Ce champ a été brutalement affranchi (par des mesures comme, en France, la loi de déréglementation financière de 1985-86) de toutes les régulations qui, vieilles de près de deux siècles, avaient été particulièrement renforcées après les grandes séries de faillites bancaires des années 30. Ainsi parvenu à une autonomie et à une intégration à peu complète, il est devenu un lieu parmi d'autres de mise en valeur du capital. L'argent concentré par les grands investisseurs (fonds de pension, compagnies d'assurances, fonds d'investissements) devient une force autonome, contrôlée par les seuls banquiers, qui privilégient de plus en plus la spéculation, les opérations financières

sans autres fins que financières, au détriment de l'investissement productif. L'économie internationale de la
spéculation se trouve ainsi libérée du contrôle des institutions nationales qui, comme les banques centrales,
régulaient les opérations financières, et les taux d'intérêt
à long terme tendent désormais à être fixés non plus par
des instances nationales mais par un petit nombre
d'opérateurs internationaux qui commandent les tendances des marchés financiers.

La concentration du capital financier dans les fonds
de pension et les fonds mutuels qui attirent et gèrent
l'épargne collective permet aux gestionnaires transétatiques de cette épargne d'imposer aux entreprises, au
nom des intérêts des actionnaires, des exigences de rentabilité financière qui orientent peu à peu leurs stratégies. Cela notamment en limitant leurs possibilités de
diversification et en leur imposant des décisions de
downsizing, de réduction des coûts et des effectifs, ou
des fusions-acquisitions qui font retomber tous les
risques sur les salariés, parfois fictivement associés aux
profits, au moins pour les plus haut placés d'entre eux, à
travers les rémunérations en actions. La liberté accrue
d'engager et surtout, peut-être, de dégager les capitaux,
de les investir ou de les désinvestir, en vue d'obtenir la
meilleure rentabilité financière, favorise la mobilité des
capitaux et une délocalisation généralisée de l'entreprise
industrielle ou bancaire. L'*investissement direct à l'étranger* permet d'exploiter les différences entre les nations
ou les régions en matière de capital mais aussi de coût
de la main d'œuvre, et aussi de rechercher la proximité
au marché le plus favorable. Comme les nations naissantes transformaient les fiefs autonomes en provinces
subordonnées au pouvoir central, les « firmes réseaux »

trouvent dans un marché à la fois interne et international un moyen d'« internaliser » les transactions, comme dit Williamson, c'est-à-dire de les organiser à l'intérieur d'unités de production intégrant les firmes absorbées et ainsi réduites au statut de « filiales » d'une « maison mère » ; tandis que d'autres cherchent dans la sous-traitance une autre manière d'instaurer des relations de subordination dans l'indépendance relative.

Ainsi, l'intégration au champ économique mondial tend à affaiblir tous les pouvoirs régionaux ou nationaux et le cosmopolitisme formel dont elle s'arme, en discréditant tous les autres modèles de développement, notamment nationaux, d'emblée condamnés comme nationalistes, laisse les citoyens impuissants en face des puissances transnationales de l'économie et de la finance. Les politiques dites d'« ajustement structurel » visent à assurer l'intégration dans la subordination des économies dominées ; cela en réduisant le rôle de tous les mécanismes dits « artificiels » et « arbitraires » de régulation politique de l'économie associés à l'État social, seule instance capable de s'opposer aux entreprises transnationales et aux institutions financières internationales, au profit du marché dit libre, par un ensemble de mesures convergentes de dérégulation et de privatisation, telles que l'abolition de toutes les protections du marché domestique et le relâchement des contrôles imposés aux investissements étrangers (au nom du postulat darwinien que l'exposition à la concurrence rendra les entreprises plus efficientes). Ce faisant, elles tendent à assurer une liberté à peu près totale au capital concentré et à ouvrir toute grande la carrière aux grandes entreprises multinationales qui inspirent plus ou moins directement ces politiques. (Inversement, elles

contribuent à neutraliser les tentatives des nations dites
« émergentes », c'est-à-dire capables d'opposer une
concurrence efficace, pour s'appuyer sur l'État national
en vue de construire une infrastructure économique et
de créer un marché national, en protégeant les productions nationales et en encourageant l'apparition d'une
demande réelle liée à l'accès des paysans et des ouvriers à
la consommation par l'augmentation du pouvoir
d'achat, elle-même favorisée, par exemple, par des décisions d'État telles qu'une réforme agraire ou l'institution
d'un impôt progressif).

Les rapports de force dont ces politiques sont une
expression à peine euphémisée et qui tendent de plus en
plus à réduire les nations les plus démunies à une économie reposant à peu près exclusivement sur l'exploitation extensive ou intensive des ressources naturelles se
manifestent aussi dans la dissymétrie des traitements
accordés par les instances mondiales aux différentes
nations, selon la position qu'elles occupent dans la
structure de la distribution du capital : l'exemple le plus
typique est sans doute le fait que les demandes que le
FMI a adressées aux États-Unis de réduire un déficit per-
sistant sont longtemps restées sans effet, alors que la
même instance a imposé à nombre d'économies afri-
caines déjà en grand péril une réduction de leur déficit
qui n'a fait qu'accroître le chômage et la misère. Et l'on
sait par ailleurs que les mêmes États qui prêchent au
monde entier l'ouverture des frontières et le démantèlement de l'État peuvent pratiquer des formes plus ou
moins subtiles de protectionnisme, à travers des limita-
tions assignées aux importations par des quotas, des res-
trictions volontaires d'exportation, de l'imposition de
normes de qualité ou de sécurité et des réévaluations

monétaires forcées, sans parler de certaines exhortations vertueuses au respect universel du droit social; ou encore sacrifier à des formes d'assistance étatique, à travers par exemple ce que l'on a appelé les « oligopoles mixtes », fondés sur des interventions des États visant à assurer le partage des marchés par des accords de restriction volontaire d'exportation, ou par la fixation de quotas de production aux filiales étrangères.

Cette unification, à la différence de celle qui s'est opérée autrefois, en Europe, à l'échelle de l'État national, se fait sans État – contre le vœu de Keynes de voir se créer une banque centrale mondiale produisant une monnaie de réserve neutre capable de garantir des échanges égaux entre tous les pays – et au seul service des intérêts de dominants qui, à la différence des juristes des origines de l'État européen, n'ont pas vraiment besoin d'habiller la politique conforme à leurs intérêts des apparences de l'universel. C'est la logique du champ, et la force propre du capital concentré qui imposent des rapports de force favorables aux intérêts des dominants. Ceux-ci ont les moyens de transformer ces rapports de force en règles du jeu d'apparence universelle à travers les interventions faussement neutres des grandes instances internationales (FMI, OMC) qu'ils dominent ou sous couvert des représentations de l'économie et de la politique qu'ils sont en mesure d'inspirer et d'imposer et qui avaient trouvé leur formulation la plus accomplie dans le projet de l'AMI (Accord multilatéral d'investissement) : cette sorte d'utopie d'un monde débarrassé de toutes les contraintes étatiques et livré au seul arbitraire des investisseurs permet de se faire une idée du monde réellement « mondialisé » que l'internationale conservatrice des dirigeants et des cadres des multinationales industrielles et financières de toutes les nations vise à imposer en s'appuyant sur le pouvoir politique, diplomatique et militaire d'un État impérial peu à peu réduit à des fonctions de maintien de l'ordre intérieur et extérieur[18]. Il est donc vain d'espérer que cette unification assurée par « l'harmonisation » des législations conduise par sa seule logique à une véritable universalisation, assumée par un État universel. Mais il n'est sans doute pas déraisonnable d'attendre que les effets de la politique d'une petite oligarchie attentive à ses seuls intérêts économiques à court terme puissent favoriser l'émergence progressive de forces politiques, elles aussi mondiales, capables d'imposer peu à peu la création d'instances transnationales chargées de contrôler les forces économiques dominantes et de les subordonner à des fins réellement universelles.

Tokyo, octobre 2000

---

18 – Cf. François Chesnais, *La Mondialisation du capital*, Paris, Syros, 1994 et M. Freitag et E. Pineault (sous la dir. de), *Le Monde enchaîné*, Montréal, Éditions Nota Bene, 1999.

TABLE DES MATIÈRES

7   Préface

13   Pour un mouvement social européen

25   L'imposition du modèle américain
et ses effets

33   Pour un savoir engagé

43   La main invisible des puissants

57   Contre la politique de dépolitisation
Une coordination ouverte, 59. – Un syndicalisme rénové, 64. – Associer les chercheurs et les militants, 66. – L'Europe ambiguë : retour sur le choix d'une action au niveau européen, 68.

73   Les grains de sable

75   La culture est en danger
L'autonomie menacée, 75. – Pour un nouvel internationalisme, 84.

93   Unifier pour mieux dominer
Le double sens de la « *globalization* », 95. – L'état du champ économique mondial, 102.

Achevé d'imprimer sur rotative
par l'imprimerie Darantiere
à Dijon-Quetigny en
octobre 2004

4e édition

Diffusion : Le Seuil
Dépôt légal : 1er trimestre 2001
N° d'impression : 24-1313

Imprimé en France